NEW
서울대 선정
인문고전
60선

08
찰스 다윈 **종의 기원**

NEW 서울대 선정 인문 고전❽

만화 찰스 다윈 종의 기원

개정 1판 1쇄 인쇄 | 2019. 8. 14
개정 1판 2쇄 발행 | 2021. 6. 17

최현석 글 | 조명원 그림 | 손영운 기획

발행처 김영사 | 발행인 고세규
등록번호 제 406-2003-036호 | 등록일자 1979. 5. 17.
주소 경기도 파주시 문발로 197 (우10881)
전화 마케팅부 031-955-3100 | 편집부 031-955-3113~20 | 팩스 031-955-3111

값은 표지에 있습니다.
ISBN 978-89-349-9433-6
ISBN 978-89-349-9425-1(세트)

좋은 독자가 좋은 책을 만듭니다. 김영사는 독자 여러분의 의견에 항상 귀 기울이고 있습니다.
전자우편 book@gimmyoung.com | 홈페이지 www.gimmyoungjr.com

이 도서의 국립중앙도서관 출판예정도서목록(CIP)은 서지정보유통지원시스템 홈페이지(http://seoji.nl.go.kr)와 국가자료종합목록시스템(http://www.nl.go.kr/kolisnet)에서 이용하실 수 있습니다. (CIP제어번호 : CIP2018042471)

어린이제품 안전특별법에 의한 표시사항

제품명 도서 제조년월일 2021년 6월 17일 제조사명 김영사 주소 10881 경기도 파주시 문발로 197
전화번호 031-955-3100 제조국명 대한민국 ⚠주의 책 모서리에 찍히거나 책장에 베이지 않게 조심하세요.

미래의 글로벌 리더들이 꼭 읽어야 할 인문고전을 만화로 만나다

주니어김영사

| 기획에 부쳐 |

<서울대 선정 인문고전>이 국민 만화책이 되기를 바라며

제가 대여섯 살 때 동네 골목 어귀에 어린이들에게 만화책을 빌려주는 좌판 만화 대여소가 있었습니다. 땅바닥에 두터운 검정 비닐을 깔고 그 위에 아이들이 좋아하는 만화책을 늘어놓았는데, 1원을 내면 낡은 만화책 한 권을 빌릴 수 있었지요. 저는 그곳에서 만화책을 보면서 한글을 깨쳤고 책과의 인연을 맺었습니다.

초등학교 때는 용돈을 아껴서 책을 사서 읽었고, 중학교 때는 학교 도서 반장을 맡아 도서관에서 매일 밤 10시까지 있으면서 참 많은 책을 읽었습니다. 그 무렵 헤밍웨이의《노인과 바다》를 손에 땀을 쥐며 읽으면서 인생에 대해 고민했고, 헤르만 헤세의《수레바퀴 아래서》를 읽으며 사춘기의 심란한 마음을 달랬습니다. 김래성의《청춘 극장》을 밤새워 읽는 바람에 다음 날 치르는 중간고사를 망치기도 했습니다.

당시 저의 꿈은 아주 큰 도서관을 운영하는 사람이 되어 온종일 책을 보면서 책을 쓰는 작가가 되는 것이었습니다. 나이가 들고 어느 정도 바라는 꿈을 이루었습니다. 큰 도서관은 아니지만 적당한 크기의 서점을 운영하고, 글을 쓰는 작가가 되었거든요. 저는 여기에 새로운 꿈을 하나 더 보탰습니다. 그것은 즐거운 마음과 힘찬 꿈을 가지게 해 주고, 나아가 자기 성찰을 도와주는 좋은 만화책을 만드는 일이었습니다. 이렇게 해서 만든 책이 바로 〈서울대 선정 인문고전〉입니다. 서울대학교 교수님들이 신입생과 청소년들이 꼭 읽어야 할 책으로 추천한 도서들 중에서 따로 50권을 골라 만화로 만든 것입니다. 인류 지성사의 금자탑이라고 할 수 있는 고전을 보기 편하고 이해하기 쉽도록 만화책으로 만드는 일은 쉬운 일은 아니었습니다. 약 4년 동안에 수십 명의 학교 선생님들과 전공 학자들이 원서의 내용을 정확하게 전달할 수 있도록 밑글을 쓰고, 수십 명의 만화가들이 고민에

고민을 거듭하면서 만화를 그려 50권의 책을 만들었습니다.

〈서울대 선정 인문고전〉이 완간되었을 무렵에 우리나라에 인문학 읽기 열풍이 불기 시작했습니다. 〈서울대 선정 인문고전〉은 인문학 열풍을 널리 퍼뜨리는 데 한몫을 하면서 독자들의 뜨거운 사랑과 관심을 받았습니다. 덕분에 지금까지 수백만 권이 팔리는 베스트셀러가 되었습니다. 그 사랑에 조금이나마 보답을 하기 위해 《칸트의 실천이성 비판》, 《미셸 푸코의 지식의 고고학》, 《이이의 성학집요》 등 우리가 꼭 읽어야 할 동서양의 고전 10권을 추가하여 만화로 만들었습니다.

〈서울대 선정 인문고전〉은 어린이와 청소년이 부모님과 함께 봐도 좋을 만화책입니다. 국민 배우, 국민 가수가 있듯이 〈서울대 선정 인문고전〉이 '국민 만화책'이 되길 큰마음으로 바랍니다.

손영운

《종의 기원》의 역사적인 의미와 내용을 아는 데 도움이 되길

"서울대 추천 도서를 꼭 봐야 할까요? 추천 도서의 분야가 넓던데 제가 아직 안 읽은 분야가 많더라고요. 자연 과학 분야는 더욱 그렇고요. 논술도 걱정이 되는데, 어떤 기준으로 책을 골라야 할까요?"

얼마 전 제가 서울대 추천 도서와 관련된 내용을 인터넷 검색하다가 제목이 눈에 띄어 읽어 봤던 글이랍니다. 대학에 가려고 생각하는 학생이라면 모두 이런 고민을 해 봤을 거예요. 제가 할 수 있는 답은 이렇습니다.

"굳이 읽어 볼 필요는 없어요. 그것은 대학생들이 읽어 볼 추천 도서지 고등학생 추천 도서는 아니니까요. 그리고 그 분야를 전공하는 대학생들도 보기 어려운 책들이 많아요. 그러나 내용만은 대략이나마 알고 있어야 하지 않을까요?"

추천 도서를 선정한 의도를 훼손하는 속물적인 대답인 것 같아 마음이 편하지는 않지만, 질문을 올렸던 학생에게는 가장 간단한 대답이 될 것 같습니다.

추천 도서에 포함된 《종의 기원》은 고전 중에서는 그렇게 어려운 책으로 분류되지는 않습니다. 그래서인지 영어권에서는 아직도 베스트셀러라고 해요. 우리나라에도 《종의 기원》을 번역한 책들이 많이 출간되었죠. 그러나 아직 개념이나 용어가 통일되지 않아 번역본들 간

에 차이가 많아요. 그러다 보니 어떤 책을 읽어야 할지도 고민이 되고요. 그리고 책 자체가 분량이 많고, 하나의 주장을 위해 많은 과학적 사실들을 나열하고 있기 때문에 이 분야에 관심이 많은 사람이 아니면 원본을 읽기가 만만하지 않죠. 실제로 학생들이 읽기에 쉬운 것은 아니거든요.

그래서 저는 이 책이 《종의 기원》의 역사적인 의미와 내용을 간략히 이해하는 데 도움이 되면 좋겠고, 《종의 기원》을 본격적으로 읽어 보고 싶은 마음이 들게 하면 더욱 좋겠답니다.

본문은 《종의 기원》의 역사적인 의미, 다윈의 생애 그리고 《종의 기원》의 실제 내용 요약으로 이루어져 있어요. 다윈은 《종의 기원》을 6판까지 발간했는데, 여기에서 참고한 판은 마지막 6판이에요. 6판 《종의 기원》은 모두 15장으로 되어 있는데, 본문에서는 12장과 13장이 같은 제목의 내용이어서 이번 책에서는 한 장으로 합해서 해설했답니다. 《종의 기원》을 요약하는 각 장에서는 다윈이 썼던 내용을 그대로 요약했고요. 원본의 분위기를 가능한 한 그대로 표현하려 했지요. 다윈이 죽은 후, 현대 과학에서 애매하거나 잘못된 것으로 지적되는 내용은 각 장의 정보란에 언급했답니다.

모쪼록 이 책이 여러분에게 《종의 기원》의 역사적인 의미와 그 연구 성과를 가늠하는 데 길잡이가 되기를 바라는 마음입니다.

최현석

《종의 기원》 호를 타고 생물의 세계로!

《종의 기원》 원고를 받았을 때가 생각나는군요. 맨 처음 이 원고를 받아 본 저는 정말 적지 않은 부담을 느꼈습니다. 교과서에서 스치듯 배웠던 진화론. 그것은 저에게는 상식 그 이상도 그 이하도 아니었기에 찰스 다윈이 말하고자 하는 논리와 전문적인 생태계의 변화와 지식 그리고 가상의 예들까지 내가 과연 독자들에게 잘 표현하고 전달할 수 있을까 하는 두려움이 있었기 때문이죠.

그러나 이런 작업이 저에게는 또 다른 발전과 도약의 한 단계가 될 것이라 믿고 서점으로 발길을 향했습니다. 그러곤 50권이 넘는 참고 서적들을 꼼꼼히 살펴보는 작업부터 시작했지요. 다윈의 일생부터 그가 여행한 항로와 그 시대의 동식물 그리고 생체학적인 해부학 책들과 씨름하기를 6개월 남짓. 그러고 나서야 그림 작업에 들어갔고 1년이 넘게 《종의 기원》과 사투를 벌인 끝에 원고 작업을 마칠 수 있었습니다.

영국에서 태어난 찰스 다윈은 어려서부터 조개껍데기, 광물, 동전, 자갈 등을 모으는 취미를 가지고 있었고, 신기하고 낯선 생물에 호기심이 많았다고 해요. 위인들의 공통점을 보면 아무리 하찮은 것이라도 사물을 보는 관점이 달랐다는 것입니다. 다윈은 1859년에 간행된 《종의 기원》에서 예로부터 생물은 불변의 것이 아니었으며 오랜 세월 동안 진화해 왔다는 사실을 많은 자료에 근거하여 과학적으로 입증했답니다. 또한 그 진화는

자연선택에 의한 적자생존의 결과이며 인간 역시 생물로서 예외가 아니어서 현존하는 원숭이와 공통 조상에서 갈라져 나온 것이라는 학설을 주장했어요.

당시 유럽 사회는 종교가 인간의 사고방식은 물론 사회의 기본 바탕을 형성하고 있던 때라 사람들은 다윈의 학설에 큰 충격을 받았답니다. 당시 사람들은 우주는 하느님이 창조하셨고 인간 또한 하느님의 창조물 중 선택된 종이라고 믿으며 그런 믿음 속에 살고 있었기 때문이지요. 그런 사람들에게 다윈의 진화론은 세상을 발칵 뒤집는 천지개벽과도 같은 것이었답니다. 진화론을 주장한 다윈을 향해 당시 사람들은 창조주인 하느님을 부정한다며 조롱하고 비웃었어요. 정신병자 취급을 하기도 했고요.

그러나 현재 진화론은 전 세계 사람들에게 인간과 지구 상에 살고 있는 수많은 생명체들이 어디서 왔으며 어떻게 변해 왔는지를 알려 주는 훌륭한 이론이 되었어요. 사실 진화론은 모호한 부분과 이해가 되지 않는 부분도 없잖아 있어요. 그러나 우리의 과거와 미래를 깊이 있게 생각해 볼 수 있는 계기를 마련해 주는 책이라고 생각해요.

우리 주위에는 어떤 생물들이 있고, 그 생물들은 어떤 변화를 거쳐 지금에 이르렀는지 다윈의 《종의 기원》이라는 배를 타고 우리 모두 같이 출항해 볼까요?

조명원

| 차 례 |

제1장 《종의 기원》은 어떤 책일까?

프로콘슬 오스트랄로피테쿠스 네안데르탈인 크로마뇽인

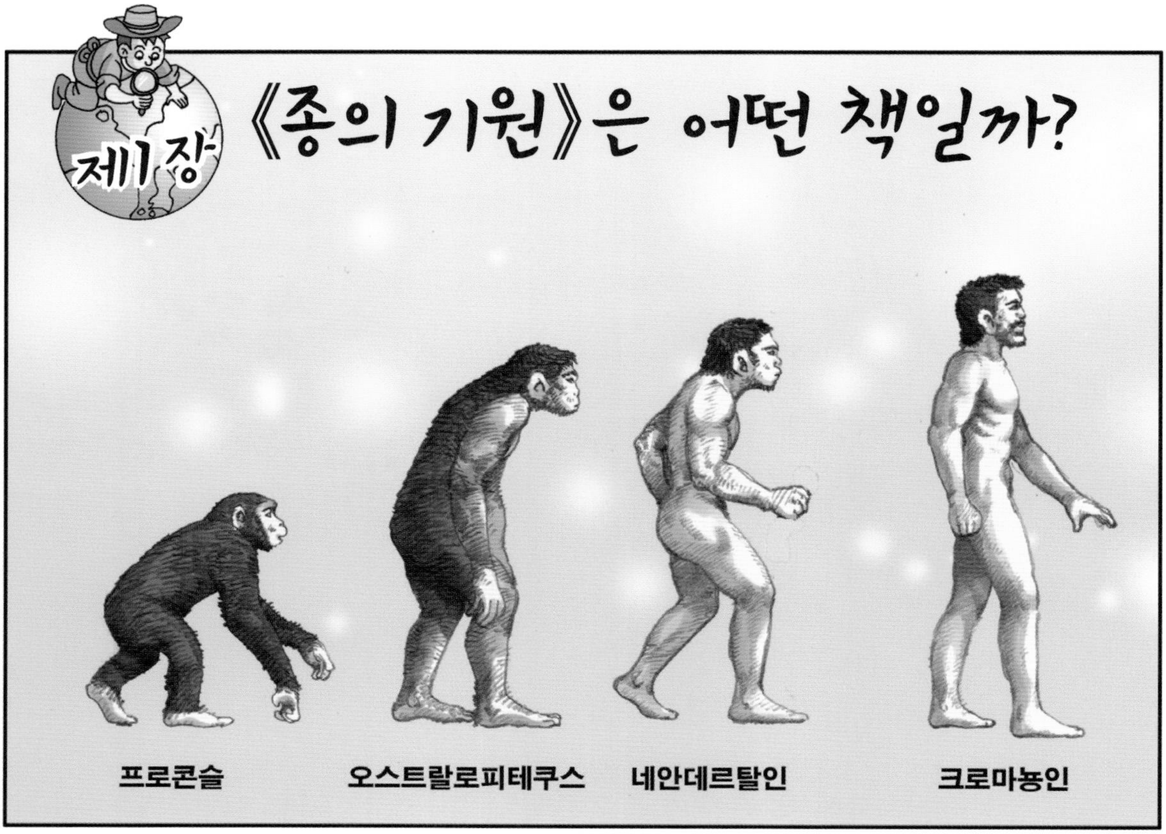

진화란 말 들어 본 적 있지?
진화?

이 책을 보는 친구들은 이미 알고 있을지도 몰라.
아~
진화론

컴퓨터도 진화하고 휴대전화도 진화하고 요즘은 모든 것이 진화하지.
WiN
DMB T.V

지금은 누구나 진화라는 말을 사용하지만 이 말이 과학에서 쓰인 것은 불과 150년밖에 안 돼.
드디어 완성했다.
찰스 다윈

1859년 《종의 기원》이 나오면서 이 말이 유명해졌어.
아~ 그렇군.
종의 기원
찰스 다윈
진화는 무슨~
창조론자

《종의 기원》은 지구에 살고 있는 생물들이 어떻게 생겨났는가를 밝히는 책이야.

이 책을 쓴 사람은
찰스 로버트 다윈이야.
흔히 성만 따서
다윈이라 부르지.

과학자 하면
맨 먼저 떠오르는
사람은 누구지?

아인슈타인?
땡큐!

다윈도 그에 못지 않은
뛰어난 과학자야.
반가워.
응.

지난 1999년 미국에서 1000년 동안
인류에게 가장 큰 영향을 끼친 인물은
누구라고 생각하는지 설문 조사를
했었어.
설문
INK

그중 1,000명을 선정해서 그
결과를 《1천 년 1천 인》이라는
책으로 출간했지.
1천 년
1천 인

그 책에서 상위 10위에 오른
사람들을 순서대로 나열해 보면
TOP
10

요하네스 구텐베르크(독일), 크리스토퍼 콜럼버스(이탈리아), 마르틴 루터(독일), 갈릴레오 갈릴레이(이탈리아),
윌리엄 셰익스피어(영국), 아이작 뉴턴(영국), 찰스 다윈(영국), 토마스 아퀴나스(이탈리아),
레오나르도 다빈치(이탈리아), 루트비히 판 베토벤(독일) 순이야.

1위부터가 누구인지 모르겠다고?
좀 무식하게 살아왔는걸?
더 열심히
공부해야
겠구나.

이들 중 과학자들은 갈릴레이, 뉴턴, 다윈,
다빈치 네 사람이야.
만유인력.
종의
기원.
천체
망원경.
최후의 만찬.

다빈치는 예술가이기도 하지.
내가
재주가
좀 많아.

오늘의 주인공 다윈은
과학자로서는 세 번째이며
넘버
쓰리야.

전체로는 일곱 번째인 사람이지.
훌륭한
인물들이
많구나.

1000년 동안 지구 상에 살았던 인간들의 수가
수조 명이 넘는데, 그중 일곱 번째라니
참으로 대단한 사람이지.
안녕!
여기 있어!
와글
와글

그러면 진화란 한마디로
무엇일까?
진화

혹시 개구리의 한살이와
배추 흰나비의 한살이를 알아?
물론
알죠!

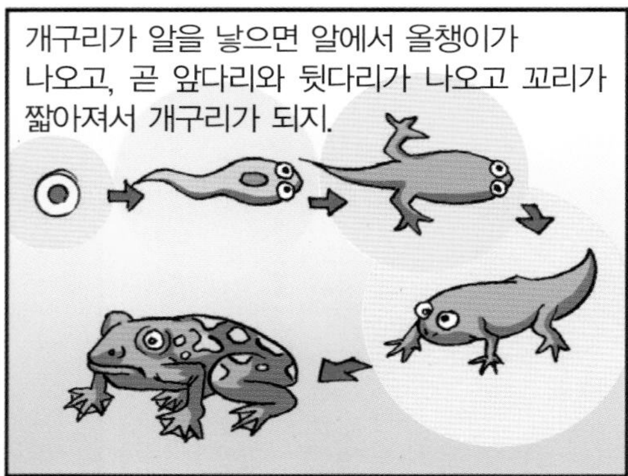
개구리가 알을 낳으면 알에서 올챙이가
나오고, 곧 앞다리와 뒷다리가 나오고 꼬리가
짧아져서 개구리가 되지.

배추 흰나비도 알에서 애벌레가 나오고
애벌레는 자라서 번데기가 되고 다시
번데기에서 나비가 나와.

꿈틀거리는 애벌레가 화사한 나비가
되리라고는 도저히 상상이 안 되지.

궁금하다면 한 달만 길러
보면 돼. 금방 확인할 수
있으니까.
1
어서
변해라.

알에서 올챙이나 애벌레가 되고
그것들이 개구리나 나비가 되는
것을 변태라고 해.
변신 끝!

이상한 변태를 상상하면
안 돼.
나?
펄럭

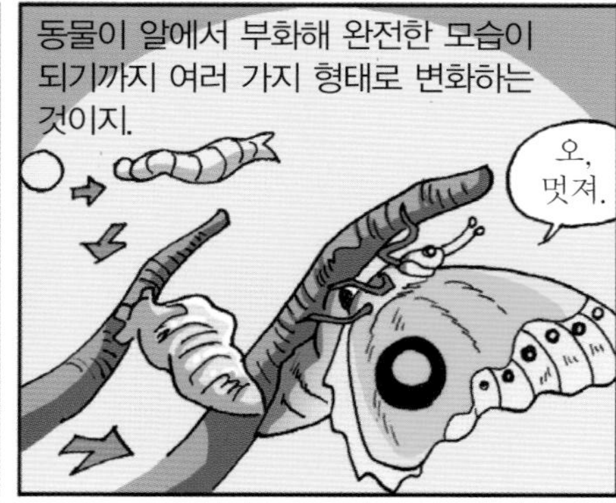
동물이 알에서 부화해 완전한 모습이
되기까지 여러 가지 형태로 변화하는
것이지.
오,
멋져.

변태(變態)는 한자로
모양이 바뀐다는
뜻이야.

變態

우리말로는 탈바꿈이라고 하지. 앞으로는 탈바꿈이라는 말을 쓸 거야.
우리 것이 좋은 것이여.

그런데 이러한 탈바꿈을 진화라고는 하지 않아.
그럼 진화는 뭐죠?
그것이 알고파요.

잠깐 다른 이야기를 해 볼까.
터덜
터덜

마음에 드는 여학생이 있어서 멋지게 보이고 싶은데
콩
콩
콩닥

여드름이 마구 생겨서 고민하는 형이나
여드름 싫어.

늙으니 머리도 세고 주름도 늘었다며 걱정하시는 할머니 푸념을 들어 본 적 있지?
뭐라고? 집 나왔다구?

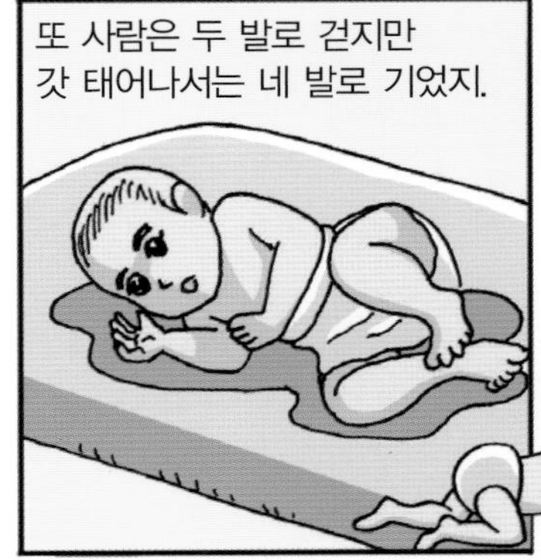

또 사람은 두 발로 걷지만 갓 태어나서는 네 발로 기었지.

이처럼 사람도 개구리나 나비처럼 모습이 극적으로 바뀌는 것은 아니지만 변한다는 사실은 마찬가지야.
쉬했다고요…?

그러나 그가 사람이라는 사실은 변하지 않아. 그래서 이런 것들도 진화라고 하지 않아.
아기나 청년이나 할아버지 모두 사람인 거지.

그러면 성형수술은?
선생님 떨려요.

그것 역시 변화하기는 하지만 진화라고는 하지 않지.
호호호 감쪽같지.

진화는 변화이기는 하지만 변화 자체는 아니야. 진화는 오랜 세월에 걸쳐 진행하므로 우리가 볼 수는 없어.
진화야
진화야..

그래서 진화는 실제로 느끼기 어려운 거야.

진화의 예로 책에 많이 나와 있는 이야기에서 시작해 보자.

영국 북부 지방의 숲에는 오래 전부터 후추나방이 살고 있었단다. 이 나방은 검은색과 흰색이 있어.
잉글랜드

그런데 나방의 색은 유전으로 결정돼. 흑인과 백인처럼 말이야.

1800년대 영국에서는 산업 혁명으로 공장이 많이 세워지면서 숲의 나무들도 오염이 되어 껍질이 모두 어두운 색이 되어 버렸어.

그러자 흰색 나방은 쉽게 눈에 띄어 많이 잡아먹히게 되었지.
흰나방 살려!
우리는 안전해.

숲에는 검은색 나방이 많이 살아남아 숲 속의 나방 종류가 줄어들었어.
우리들 세상이다!

그런데 최근에 환경 보호로 인해 나무에 지의류가 다시 생기기 시작하자

이번엔 검은색 나방이 눈에 띄어 많이 잡혀먹히고 있대.
맑아지니까 어두운 우리가 눈에 잘 띄네.

그래서 다시 흰색 나방이 증가하고 있다고 해.

지의류에 대해 잠깐 공부해 보자면
지의류

지의류는 말 그대로 땅[地]에 옷[衣] 입히고 있는 생물이야. 바위에서부터 나무껍질에 이르기까지 어디에서나 잘 살아남지.

하지만 독성 성분에 매우 민감해 오염된 공기에서는 살아갈 수가 없어.
으악!
그저 지나가는 길일 뿐이야.

그래서 지의류가 산다는 것은 공기가 깨끗하다는 것을 의미해.
여기는 안심하고 살아도 돼.

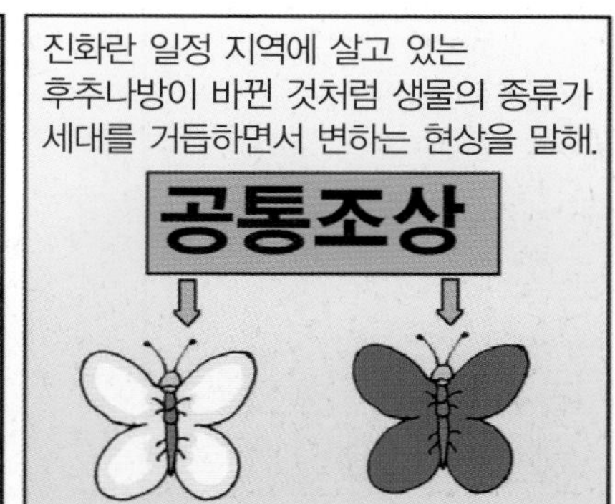
진화란 일정 지역에 살고 있는 후추나방이 바뀐 것처럼 생물의 종류가 세대를 거듭하면서 변하는 현상을 말해.
공통조상

좀 더 자세히 설명해 볼게.
알 것 같기도 하고…
진화론

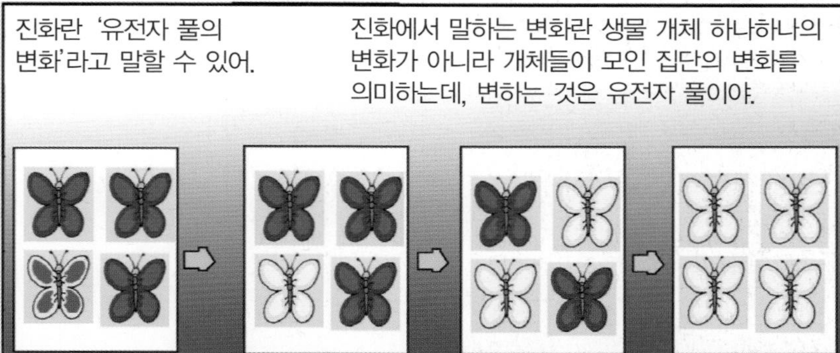
진화란 '유전자 풀의 변화'라고 말할 수 있어.
진화에서 말하는 변화란 생물 개체 하나하나의 변화가 아니라 개체들이 모인 집단의 변화를 의미하는데, 변하는 것은 유전자 풀이야.

점점 어려워진다고?
풀이라니, 풀장이야?

잠깐 용어를 알아보자. 개체란 개인과 같은 의미로 이해하면 돼.
개체

개인이나 개체는 모두 영어로 individual이야.
개체
개인
individual

사람 하나하나를 사람 인(人)을 써서 개인(個人),
?
타요!
TAXI
개인

생물 하나하나를 몸 체(體)를 써서 개체(個體)라고 하지.
나는 소중하니까.

그러니까 개체라는 말은 개인과 같아.
반갑다, 개체야.

이 개체들이 모인 집합을 집단 혹은 개체군이라고 해. 생물이 진화하는 것은 개체가 아니고 개체군이야.

풀(pool)은 웅덩이같이 물이
고인 곳을 말하는데

유전자가 가득 찬 집합을
의미하지.

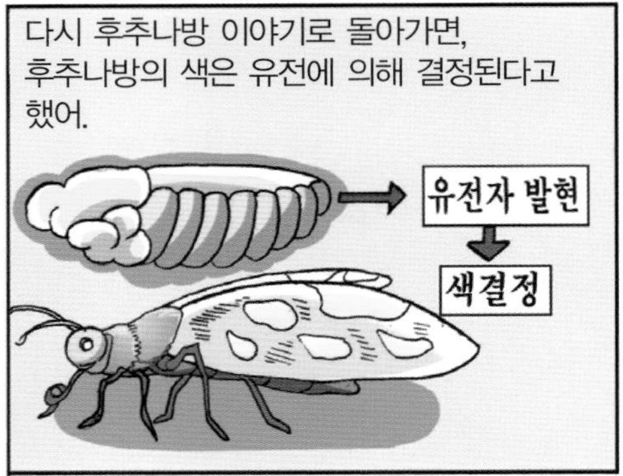
다시 후추나방 이야기로 돌아가면,
후추나방의 색은 유전에 의해 결정된다고
했어.
유전자 발현
색결정

여기서 후추나방 개체
한 마리 한 마리의 색깔은
변하지 않았지.

그런데 세월이 지나면서
후추나방 집단의 전체적인
색은 변했어.

새로운 환경에 적합하지
않은 개체는 후손을
남기지 못했기 때문이야.
먹기 좋게
생겼구나.

후추나방 각자가 가지고
있는 유전자를 모아서
풀을 만들어서
조상나방

비교해 보면 세월에 따라
변했을 거야. 이게 바로
진화야.
절멸

진화를 과학적으로
다시 정리하면
진
화
자
론
선

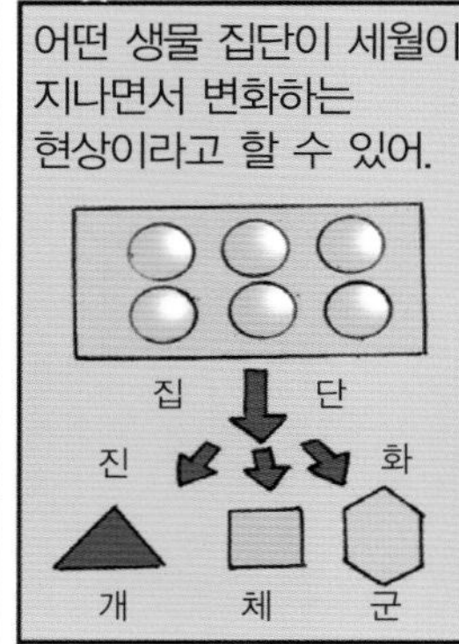
어떤 생물 집단이 세월이
지나면서 변화하는
현상이라고 할 수 있어.
집
단
진
화
개
체
군

여기서 중요한 것은 세월이
지난다는 것은 한 개체가
나이 든다는 것이 아니라

그 개체가 새끼를 낳고 그 자손이 커서
또 새끼를 낳고 이런 아주 오랜 세월을
의미하는 거야.

이 세월은 우리가 보통
역사책에서 말하는
시간과는 차원이 전혀
달라.
역사
초등학교
4學년

수천 년의 역사 동안 인간이
진화한 것은 거의 없어.
고조선
변한 게
없군.

후추나방은 한 세대가 짧기 때문에 진화하는 순간을 포착할 수 있었던 것이고
세대가 짧아서 쉽게 보이지.

대부분은 눈으로 확인할 수 없어. 그래서 이해하기가 더 어렵지.
진화 안 해?
난 개체라구.

그러면 우리 조상은 어떤 동물이었을까? 원숭이? 침팬지?
하이~ 우린 같은 핏줄.
?
내가 형이야.

인간의 조상은 원숭이도 아니고 침팬지도 아니야.
쩝~
아님 말구….

침팬지와 오랑우탄을 마취시켜 의식을 잃게 한 후 얼굴에 점을 그려 놓고
누가 감히 낙서를….

이들의 행동을 관찰해 보니 마취에서 깨어나 거울 앞에 서서는 얼굴에 그려진 점을 지우려고 했어.
컹

또 누가 이런 장난을 했는지 찾으려는 듯 안달했어.
니가 이랬지?

이렇게 거울을 보고 자신의 존재를 아는 동물은 매우 드물어.
그놈 참 잘생겼다.

침팬지와 오랑우탄은 인간처럼 자신을 알아보는 능력이 있는 거지.
누가 잘생겼냐?
당연히 나지!

반면에 대부분의 원숭이는 그러지 못해.
누구냐 넌?

즉 자기 자신을 알아보는 개념 자체가 없는 것이지.
나는 나를 몰라.

결국 인간은 원숭이보다 침팬지 쪽에 가깝다는 거지.

과학적인 연구에 따르면 600만 년 전에는 인간과 침팬지의 공통 조상이 살고 있었대.
조상님 뵈니 반갑지!

어떻게 아냐고? 추측이지. 과학적인 추측.
허무맹랑한 공상이 아니야.

종교는 믿음에서 출발하지?
믿는 거야. 무조건.

일단 믿어야 그 다음 일이 진행돼.
질… 질문이.
어허!

그러나 과학은 의심에서 출발해.

의심에 대한 답을 찾는 과정이 과학이고 결과는 잠정적인 결론이지.
논리적인 해답을 찾아라.

그래서 과학에서 말하는 답은 항상 변할 수 있어.
달에 토끼가 살아요?
응.
아니.

그러면 과학 시험 문제에는 왜 정답이 있지?
선생님 이게 왜 정답이에요?
과학시험

그 정답은 잠정적인 진실을 의미해.
아직까지 이 답을 반박할 근거가 없단다.
아~

다윈이 말하는 진화론도 하나의 과학적인 이론이고
이론

뉴턴의 만유인력 법칙과도 같은 자연현상에 대한 하나의 법칙이야. 그것이 《종의 기원》에 있지.
종의
찰스 다윈

2009년에 《종의 기원》이 출간된 지 150년이 되었어.
140
120
100
130
110
99
150
종의 기원
찰스 다윈

지금도 일부에서는 다윈의 진화론을 공격하고 있지만 책이 처음 출간됐던 영국에서는 종교계의 반발이 엄청 컸어.
오~ 주여 이럴 수가!

사람들은 다윈을 영국에서 가장 위험한 사람이라고도 했어.
우~
악마의 숭배자다!
주님을 모독한다.
종의 기원

다윈이 죽은 다음 그 아들이
아버지의 자서전을 출간하면서

종교에 위배되는 내용을
일부러 삭제하기도
했대.

그러나 《종의 기원》이 출간된 다음 해인 1860년에
영국 과학 발전 협회가 주최한 대토론회에는
엄청난 사람들이 몰려들 정도로 관심을 끌었지.
와글..
《종의 기원》 대토론회 주최 영국 과학 발전 협회
와글..

《종의 기원》은 종교계의 커다란
반발이 있음에도 베스트셀러가
되었어.
너 여기서
뭐 해?
종의 기원

그 후 스테디셀러로 자리
잡았고 다윈이 죽을 때까지
영국에서만 엄청난 부수가
팔렸대.
종의기원
종의 기

《종의 기원》은 세계 각국 언어로 번역되었고
유럽 대륙이나 미국에서 더 많은 과학자들에
의해서 다윈의 이론이 보급되었어.
종의기원
종의기원
종의기원

과학적인 연구 결과를 부정할 수만은
없었던 당시 기독교인들은 신앙과
과학 사이에서 고민을 많이
했을 거야.
신에게 물을
수도 없고.
과학

만약 인간이 진화하기 전에
무한히 긴 세월 동안 생존
투쟁이 계속되었음을
인정하면

에덴 동산과 금단의 열매 같은 성경
말씀을 받아들일 수 없게 되는 거니까.
넌
뭐야?
화들짝!

당시 우스터 주교의 부인이 했던 다음과 같은
말은 그때 사람들의 심정을 대변한 것일 거야.
원숭이 자손이라니?
세상에 그것이 사실이
아니길. 하지만 만일
그것이 사실이라면…
세상에 널리 알려지지
않기를….

다윈은 책을 출간한 뒤에
내용을 다시 보충했는데
새로운
사실이
발견됐으니
수정을
해야겠다.

1860년에는 2판, 61년에 3판,
66년에 4판, 69년에 5판,
72년에 6판이 나왔어.
종의 기원
종의 기원

판을 거듭하면서 내용을 조금씩 수정했고 예로 설명했던 사실을 추가하기도 했고 삭제하기도 했으며, 사상이 다소 변한 부분도 있어.

2판에서는 '창조자에 의해' 라는 구절을 삽입해서 종교적인 반감을 조금이나마 줄이려고 했지.
창조자

용어 사용에도 변화가 있었어. 다윈의 진화론을 떠올리면 대개 '적자생존' 부터 떠올리는데 이 말은 5판부터 사용된 거고
적자생존
survival of the fittest

진화라는 용어도 처음에는 '변형의 유전' 이라는 용어를 써 오다가 6판에 가서야 진화로 대체하지.
진화
변형의 유전

《종의 기원》이 출간된 지 20년이 지나서야 진화론은 세계적으로 인정을 받았어.

심지어 당시 어떤 학자는 다윈 이론을 전멸된 이론이라고도 했지.
자신의 주장대로 자연 도태된 거야.

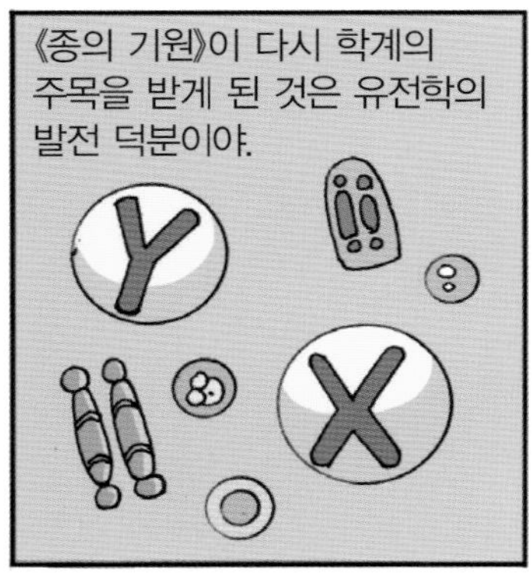
《종의 기원》이 다시 학계의 주목을 받게 된 것은 유전학의 발전 덕분이야.
Y
X

현대 유전학의 발판을 닦은 사람은 멘델인데 그는 이미 1866년에 논문을 발표했지만
유전학 논문

그 중요성은 20세기 초반이 되어서야 인정받게 돼. 유전자라는 말도 이때 처음 사용되기 시작했지.
흠~ 훌륭한 이론이야.

그리고 1937년에는 도브잔스키가 《유전학과 종의 기원》이라는 책을 출간하면서
유전학

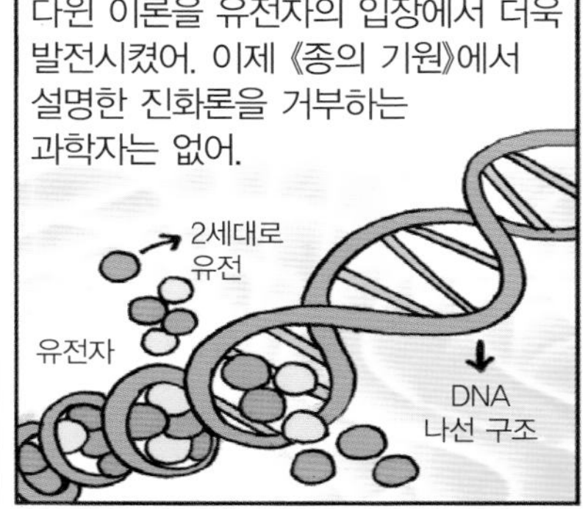
다윈 이론을 유전자의 입장에서 더욱 발전시켰어. 이제 《종의 기원》에서 설명한 진화론을 거부하는 과학자는 없어.
2세대로 유전
유전자
DNA 나선 구조

《종의 기원》이 나오기 전 자연 과학의 사상적 토대는 플라톤의 사상이었어.
내 사상을 뿌리째 흔들다니!
플라톤

플라톤에 의하면 이 세상은 영원히 변하지 않는 절대적인 진실 즉 이데아로 이루어져 있는데

인간들이 보는 다양한 현상들은 단지 그림자에 불과해.
영혼의 눈으로 보라. 그럼 불변의 세계가 보인다.

돌은 영원히 돌이고 금은 영원히 금이기 때문에 돌이 금으로 변할 수 없듯이 생명 세계에서도 호랑이는 영원히 호랑이고 사자는 영원히 사자인 거지.

이러한 개념은 기독교에 의해서 더욱 강화되어 서양인의 사고방식에 깊이 뿌리박히게 돼.

2,000년 이상 지속되어 온 이런 사고방식을 뿌리째 흔드는 이론이 다윈의 진화론이야.
진화
성경

덕분에 이제는 우리 주변의 세계가 영원히 변하지 않을 것이라고 믿는 사람들은 없어.
저, 알아요?

다윈은 《종의 기원》을 출간하면서 친구에게 이렇게 말했대.
아직 시작일 뿐일세. 아주 가치 있는 일이 될 거야.
종의기원

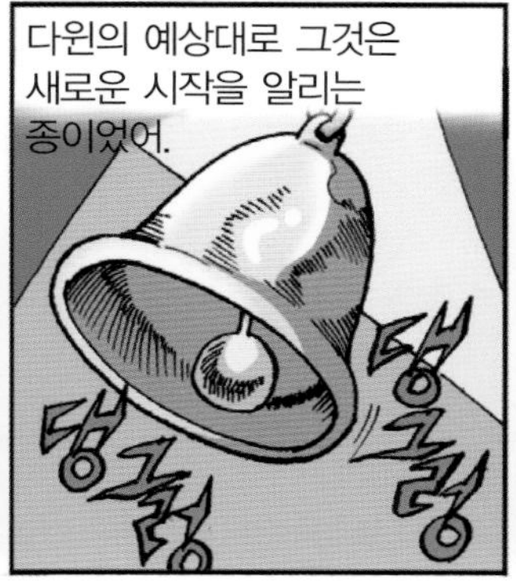
다윈의 예상대로 그것은 새로운 시작을 알리는 종이었어.
당그렁
당그렁

혹시 코페르니쿠스 혁명이라는 말을 들어 본 적 있어? 혁명(革命)은 큰 사회적인 변화를 뜻하지.

코페르니쿠스는 1543년, 그러니까 《종의 기원》이 나오기 316년 전에 지동설을 주장하는 책을 출간했어.
천체의 회전에 대하여
코페르니쿠스

지동설은 땅이 움직인다는 이론이야.
으악

이전 사람들은 지구가 움직인다고는 상상조차 하지 않았지.
이게 안전한 우주야.

그래서 땅은 그대로 있고 하늘이 돈다는 천동설(天動說)을 믿었어.

별이 저만큼 움직였다.

과학에서 세상을 뒤바꾼 혁명을 꼽으라면 바로 이 코페르니쿠스 혁명이야.

내가 세상을 바꾼다.

영어의 혁명을 의미하는 레볼루션이라는 말도 코페르니쿠스의 책 제목 《천체의 회전에 대하여》의 회전이라는 말에서 나온 것이기도 해.

REVOLUTION

그런데 다윈의 영향력도 코페르니쿠스에 비교될 만해.

하이
멋져, 친구.

그래서 사람들은 흔히 《종의 기원》의 출간을 다윈 혁명이라고도 하지.

종의기원

그러고 보니 두 단어 자체가 엄청 비슷하네.

REVOLUTION
EVOLUTION

코페르니쿠스와 다윈을 견주어

코페르니쿠스가 인간을 우주의 중심에서 변두리로 옮겨 놓았다면

인간은 먼지에 불과해.

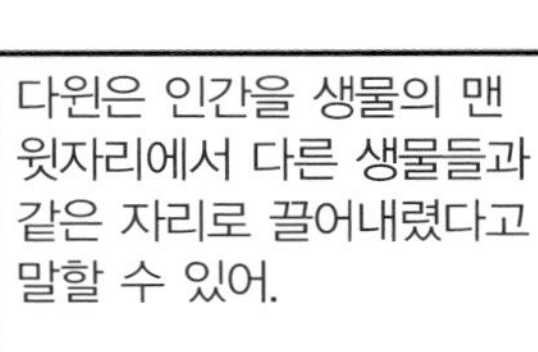

다윈은 인간을 생물의 맨 윗자리에서 다른 생물들과 같은 자리로 끌어내렸다고 말할 수 있어.

내가 형님 뻘!

인간의 정신세계를 연구한 프로이트는 말했어.

지금까지 인류는 과학의 손이 순진한 자기 사랑에 두 차례 거대한 모욕을 퍼붓는 꼴을 참아야 했다.

첫째는 지구가 우주의 중심이 아니라 대 우주 안의 한낱 작은 점임을 깨달았을 때였고

아, 초라하다.

둘째는 생물학 연구로 인해 신의 특별한 피조물이라는 특권을 강탈 당한 채 동물계의 일원으로 추방 당했을 때라고 말이야.

뭐!

과학에서 세상을 바라보는 관점을 혁명적으로 바꾼 역사적인 책들 중 모두가 알 만한 책들을 들어 보면

코페르니쿠스의 1543년 《천체의 회전에 대하여》를
비롯하여
천체의 회전에
대하여
코페르니쿠스

종교 재판에서 사형을 선고받고도 '그래도 지구는
돈다.' 고 말했던 갈릴레이의 1638년 《신과학 대화》
신과학
대화
갈릴레오 갈릴레이

만유인력의 법칙을 설명한 뉴턴의 1687년 《프린키피아》
등이 있지.
원제는
'자연철학의
수학적
원리' 야.
프린키피아
아이작 뉴턴

아인슈타인의 특수 상대성 이론이나
일반 상대성 이론은 짧은 논문으로만 발표되었지.
그저
논문만.
특수상대성
이론

이런 책들은 과학을 연구하는
사람들 말고는 읽어 보는 사람이
없어.
후아~
너무
어려워.

그렇지만 갈릴레이와 같은 날 태어난
셰익스피어의 작품은 지금도 여전히
사람들이 읽지.
아~ 불쌍한
로미오….

이것이 과학과 문학의
큰 차이야.
과학
너무
어려워.

그런데 다윈의 《종의 기원》은
그리 어렵지 않고 지금 읽어도
시대에 뒤떨어지지 않기 때문에
어디
반박할
데 없나?
창조론자

지금도 사람들이 많이 읽고 있어.
자, 이제 본격적으로 그 내용을
살펴보자.
종의기원
찰스 다윈

이 책에 나와 있는 내용은 6판에
실린 내용이야. 그전에 잠깐
다윈의 일생을 살펴보자.
드디어 내
얘기인가?
쑥스럽군.

제2장 다윈은 누구일까?

여러분은 에이브러햄 링컨을 알겠지.
안녕!

링컨은 1809년 2월 12일 미국에서 태어났는데 같은 날 영국에서는 찰스 로버트 다윈이 태어났지.
다윈
응애
쫑
링컨
그놈… 참 시끄럽네.

음악가 멘델스존도 그들과 동갑내기야.
나는 대통령 될래.
난 음악가.

다윈은 성이니까 친구들은 그를 찰스라고 불렀을 거야. 찰스는 슈루즈버리에서 태어났어.
안녕!

찰스는 숲으로 둘러싸인 3층집에서 아쉬운 것 없이 자랐대.

할아버지는 영국 왕실에서도 존경받는 의사였고 아버지도 의사였어.
다윈의 아버지 로버트 다윈이오.

찰스의 어머니는 지금도 유명한 웨지우드 집안 출신이야.
어머니 수재너 다윈 이에요.

어머니는 찰스가 여덟 살이 되던 해 52세의 나이로 돌아가셨어.

그래서 형과 누나들이 찰스를 키웠다고 해.

할아버지와 할머니도 돌아가셨으니까 찰스 가족은 아버지와 형 하나, 누나 셋, 여동생 하나였지.

찰스 다윈은 어릴 때부터 무엇이든 기록을 해 두었대.

앞으로 그가 쓴 일기를 자주 인용할 거야.

학교에 다닐 때 찰스는 수집벽이 있었던 것 같아.
CASN

일기에 "나는 눈에 띄는 식물마다 이름을 알아내려고 했고 온갖 것을 모았다.

이것은 어쩔 수 없이 타고난 본능과 같은 것이었다.

식물의 다양성에 흥미를 느끼는 나 자신이 신기하다."라고 썼으니까.

돌을 보고는 이 돌이 어떻게 여기에 있는지를 생각했다니, 지질학에도 빨리 입문한 거야.
언제부터 여기에 있었을까?

지질학이란 땅을 연구하는 학문이야. 땅은 바위나 돌이 깨져서 생긴 것이니까 바위를 연구하는 학문이라고 할 수 있지.
이 바위는 가치가 있어 보인다.

찰스가 아홉 살이 되자
아버지는 그를 기숙학교로
보냈어.

거기서 열여섯 살이 되던
1825년까지 7년을 보냈지.

찰스는 그 학교를 좋아하지 않았어.
일기에 이렇게 썼으니까. "그곳은 고대의
지리나 역사를 조금 가르치는 것 말고는
아무것도 없었다.

내 정신 발달에 별로 안 좋았고
공부도 하기 싫었다. 그래서 틈만
나면 낚시를 했다.

누나들 말로는 나는 어린 시절 혼자
오랫동안 산책하는 걸 좋아했다고 한다.

무엇을 생각하면서 그렇게
걸었는지 잘 모르겠지만
무언가에 열중하는 습성이
있었던 것 같다."

아버지는 찰스가 의사가 되길
원했어.
안정되고
존경받는
직업이야.

그래서 찰스는 아버지의 권유로 1825년에
형인 라스와 함께 에든버러
대학에 들어갔어.

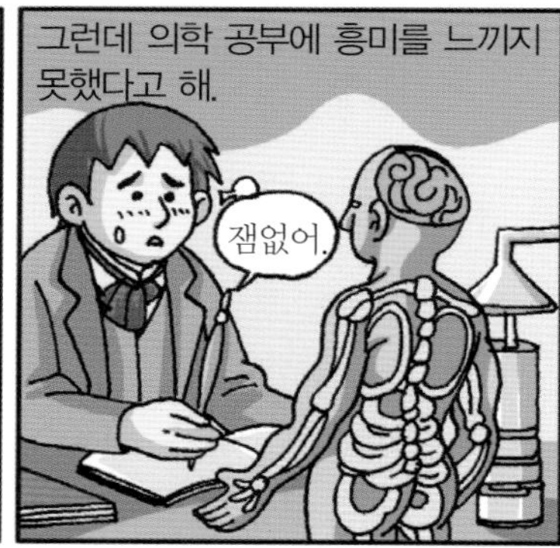
그런데 의학 공부에 흥미를 느끼지
못했다고 해.
재없어.

에든버러의 교육은 모두 강의로만 이루어져 있었는데, 말할 수 없이 따분했다. 나는 에든버러 병원에서 수술에 두 번 참석한 적이 있었다. 나는 두 번 다 수술이 끝나기 전에 뛰쳐나와야 했다. 그 다음부터는 아예 출석도 하지 않았다. 하지만 강제로라도 해부학을 익히지 못한 것은 내 삶을 통틀어 가장 큰 실수 중 하나였다.
조금만 더 참았더라면 나중에 할 일을 위해서 귀중한 경험이 되었을 텐데….

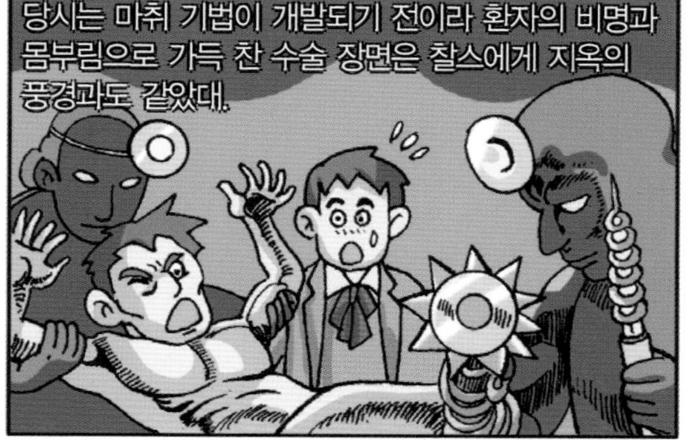
당시는 마취 기법이 개발되기 전이라 환자의 비명과
몸부림으로 가득 찬 수술 장면은 찰스에게 지옥의
풍경과도 같았대.

찰스는 의학보다는 자연 과학을
더 좋아했고
정말
신기한 것이
많구나!
식물학
지질학

승마, 사격, 채집 등도 즐겨 했어.

아버지는 결국 찰스에게 의사가
되기 싫으면 성직자의 길을
가라고 권했어.
성직자는
어떠니?
하이?

당시 영국에서 촉망받는 직업은
법률가, 의사, 성직자였으니까 아들이
그런 직업을 가졌으면 한 거지.
법전

자식이 안정된 직업을 갖기를
원하는 것은 우리나 영국이나
똑같지?
으아
부담돼.
공부 열심히
해야 돼.
VQ

아버지의 권유에 대한 찰스의
생각을 그의 일기를 통해 보면

나는 생각할 시간을 조금 달라고 했다.
영국 교회의 모든 교리를
믿는다고 말하기엔 양심에
찔리는 것이 많았기 때문이었다.
한편으로는 시골에서 성직자 생활을
한다는 것이 좋기도 했다.

성직자가 되려면 대학에서
학위를 따야 했는데
입학

찰스는 아주 쉽게 케임브리지
대학 신학교에 입학했어. 아버지가
부자였기 때문이지.

귀족 집안이고 돈이 많으면 됐거든.
험
어서 옵셔!

대학에서 찰스는 카드 놀이를 하고
술에 취해 많은 시간을 보냈다고 해.

일기를 보면 "내가 케임브리지
대학에서 보낸 3년은 에든버러 때와
매일반이다.

어렸을 때 학교처럼 완전히 시간을
낭비했다."라고 써 있어.

그렇지만 성적은 좋아서
10등으로 졸업했다.
부럽다.
기본이 있잖아.

당시 학위를 따려면 페일리의 책을 공부해야 했어.

영국의 주교였던 페일리는 1802년에 18~19세기 종교 사상을 대표하는 《자연신학》을 발표했지.
자연신학
윌리엄 페일리
(william s.paley)

이 책의 첫 장에 핵심이 들어 있어.
자연신학
윌리엄 페일리
(william s.paley)

'들판을 거닐다가 발에 돌이 채었는데 그게 어떻게 여기에 있게 되었는가를 물었다 치자.

나는 아마도 그 돌이 언젠가부터 있었다고 대답할 것이다.

그러나 만일 손목시계를 발견했다면?

전에는 보지 못했던 시계를 말이다.

그 시계가 정확하고 복잡한 장치라는 것을 알면 나는 그것이 아무렇게나 생겨날 수 있는 것이 아니라고 결론 내릴 것이다.
이것은 기술이 뛰어난 기술자가 설계하고 만든 것이 틀림없다.

인간의 눈도 복잡하고 미묘한 장치다.

그것 또한 너무나 완벽하기 때문에 설계한 것이 틀림없고 그 설계자는 신이 틀림없다.'

이 페일리의 논증은 아주 유명해. 논증이란 몇 가지의 전제들을 바탕으로 결론을 이끌어 내는 것을 말해.
결론
전제
전제

페일리의 논증은 비약이 심한 부분이 있지만
뭐가 잘못된 거지?

당시 다윈은 이런 페일리의 논증에 매료되었고 이를 확신했다.
정말 설득력 있어.

찰스는 케임브리지 대학에 다닐 때
존 헨슬로 교수의 식물학 수업을
제일 좋아했다고 해.

당시 영국의 성직자는
지식인이었어.
하늘 땅
별 땅
다… 앉아.

그래서 성직자를 배출하는 대학교에 이런
다양한 과목들이 있었던 거지.
철학
법학
흥미 있는
책들도
있구나.
자연신학
식물학

헨슬로 교수는 찰스에게
지질학을 권했어.
자네는
이 분야에
소질이 있어.
네.

헨슬로는 세지윅에게 북웨일스의
지질 조사에 찰스를 데려가
달라고 부탁했어.
내가
《종의 기원》
탄생에
많이
기여했지.

그와의 만남은 찰스에게 과학이란 많은
사실들에서 일반 법칙을 이끌어 내야
한다는 점을 깨닫게 해 주었대.
세지윅
교수에게
배울 게
많아.

신학교를 졸업한 1831년, 헨슬로 교수는 찰스가 영국 해군함 비글 호에 탑승할 수 있도록 추천했어. 비글 호는 바다 지도를 만들려고 대서양과 남아메리카, 태평양을 거쳐 돌아오는 세계 일주 항해를 계획했대.

당시 영국은 세계를 정복하는
나라여서 이런 항해가 많았어.

많은 탐험가들이 새로운
지역을 탐사하고 산, 바다, 해협
등에 자기 이름을 붙여 놓았어.
여긴
마젤란 해협!

이 배에 탑승해 선장의 말벗이
되어 주고 자연사 연구를
수행할 사람을 찾았는데

헨슬로 교수가 찰스를
추천한 거야.
네,
교수님.
세계를
돌아보며
꿈을 키워 봐.

찰스는 이 제안에 기뻐했지만
아버지는 무척 화를 냈다고 해.
이 녀석이 정말.

의과 대학 졸업도 못 했지,
나랑은 안 맞아.

이제 겨우 성직자가 되나 보다 했더니
아멘.

탐험가가 되어 그마저 그만두려 했으니까.
세계가 나를 부른다.

그러나 아들이 원하는 걸 반대할 수 없었던 아버지는 편지를 써서
찰스야….

네 편이 하나라도 있으면 허락한다고 했지.
아, 아버지.

이에 찰스는 탐험을 포기하고 외갓집에 갔는데 외삼촌이 도움이 됐지.

그래서 찰스는 아버지에게 다음과 같은 편지를 썼어.
존경하는 아버지께.

다시 한 번 불편을 끼칠지 몰라 죄송한 마음입니다.
하지만 이 항해 제의에 대한 제 의견을 한 번 더 이야기할 기회를 주실 것 같아 용서를 구하며 이렇게 씁니다.
외삼촌에게 아버지가 반대하시는 이유를 적어 드렸더니 거기에 대한 의견을 달아 주셨습니다. 여기 동봉하오니 회답을 해 주시면 좋겠습니다.

이 여행이 제가 안정된 삶을 살아가는 데 방해가 된다고 생각할 수 없다는 점을 다시 한 번 말씀드립니다.
저를 믿어 주세요, 아버지.

사랑하는 아들 찰스 올림

아버지는 결국 찰스의 여행을 허락하였고 이제 찰스 본인의 인생뿐만 아니라 인류 역사에 중요한 세계 일주 여행이 드디어 시작된 거야.
찰스는 찰스 라이엘이 쓴 《지질학 원리》를 가지고 배에 탔어.

라이엘은 찰스보다 12년 선배인데 현대 지질학의 토대를 만든 학자야.
지질학 원론 찰스 라이엘

다윈이 《지질학 원리》를 읽기 시작한 지 일주일째 되던 날

비글 호는 첫 방문지인 서아프리카 서해안 카보베르데 제도의 화산섬 생자고에 닻을 내렸지.

사화산인 그 섬에서의 경험은 다윈에게 아주 중요한 것이었어.

그을린 듯한 용암섬의 거무스름한 경치를 살펴보고 표본을 모으던 어느 날

그는 해변에서 해면동물과 산호를 수집하기 시작했어. 그 해안에서 약간 떨어진 곳에는 낮고 커다란 언덕이 있었는데

언덕의 측면을 보니 지표면에서 최소한 9미터 정도 높이에 하얀 띠가 선명하게 있었지.

보기에 그 띠는 노출된 암석에 줄무늬가 그어져 있는 것 같았지.

엉금엉금 기어서 언덕을 올라가 자세히 보니

띠를 이루고 있는 것은 다름 아닌 조개와 산호였어.

보존 상태가 얼마나 좋았는지 방금 수집한 것처럼 생생했지.

죽은 생물로 이루어진 이 지층이 해수면 위로 9미터나 올라올 수 있었을까?

하얀 띠는 높이가 일정하지 않았으므로

해수면이 낮아졌다고는 설명할 수 없었지.
수면

하얀 띠가 상승하기 전엔 그곳이 해변이었음이 분명했어.

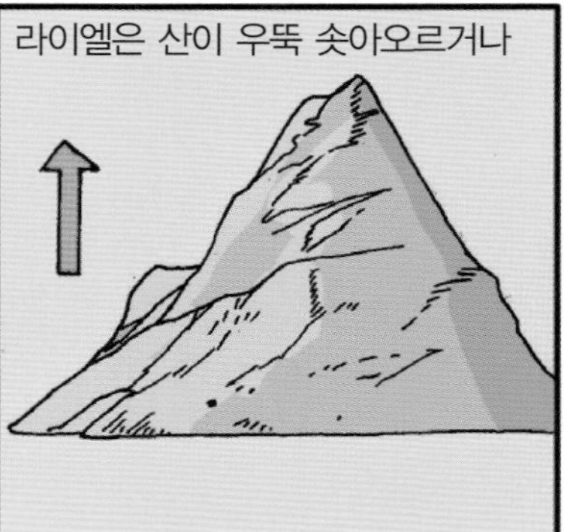
라이엘은 산이 우뚝 솟아오르거나

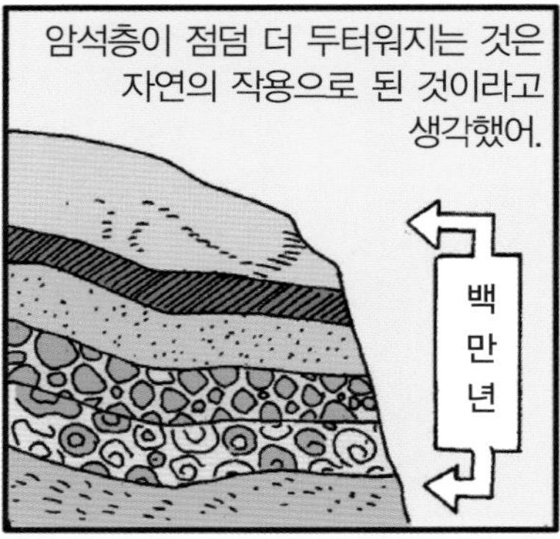
암석층이 점덤 더 두터워지는 것은 자연의 작용으로 된 것이라고 생각했어.
백
만
년

그는 지구에서의 변화는 노아의 홍수 같은 격변에 의한 것이 아니고

점진적으로 오랜 시간에 걸쳐서 서서히 일어났다고 주장했지.

다윈은 조금씩 성경과 페일리의 주장이 틀릴 수도 있다는 생각을 하게 되었어.
페일리
라이엘
의심은 금물!

카보베르데 제도를 떠난 비글 호는 브라질, 아르헨티나, 티에라델푸에고 섬, 포클랜드 제도, 우루과이, 칠레, 안데스 산맥, 페루 등을 여행했어.
대서양
남아메리카
갈라파고스 제도
리오데자네이루
포클랜드 제도
마젤란 해협

선장은 원래 목적인 지도 그리는 일을 하고

다윈은 동식물과 지질을 관찰하고 화석을 모으는 일을 했지.

다윈은 처음에는 새나 동물을 직접 쏘아 잡았어.

그러다가 자연을 관찰하는 것이 사냥보다 더 재미있어졌지.

사냥은 원시적인
본능과 같아.
이제 문명인의
취미인 탐구를
해야겠다.

브라질 숲 속을 돌아다니면서
대자연의 신비에 감탄하여 쓰기를

"이 숲 속의 아름다움을 하나하나
칭찬하기는 쉽지만 마음을 채우는
놀라움, 경이로움, 애착심 같은
감정을 표현하기란 불가능하다."라고
했지.

다윈은 모든 종류의 동물을
모아서 관찰하고

해양 동물의 경우는
해부까지 해 보았지.
이제
내 조상을
알겠어?

그리고 틈틈이 항해 일지를 썼어. 나중에 이것은
《비글 호 항해기》로 출간돼.

다윈은 아르헨티나 사람들이
광대한 평야라고 부르는
팜파스에 대해서는
광대한
평야!

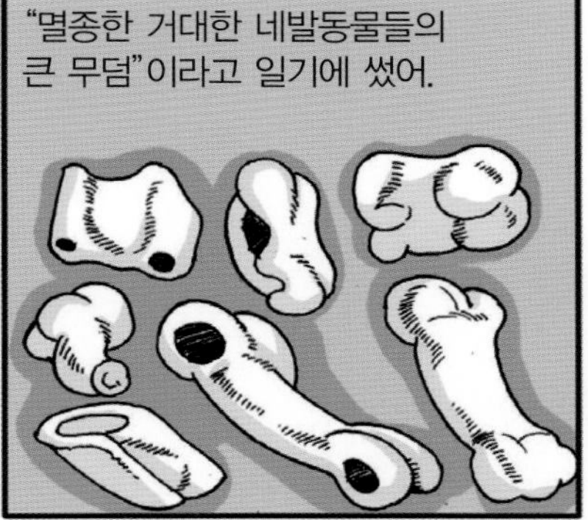
"멸종한 거대한 네발동물들의
큰 무덤"이라고 일기에 썼어.

그리고 바다 생물들의 화석을 보면서
땅이 솟아오른다는 생각을 하기
시작했어.
과거
지층 상승
현재

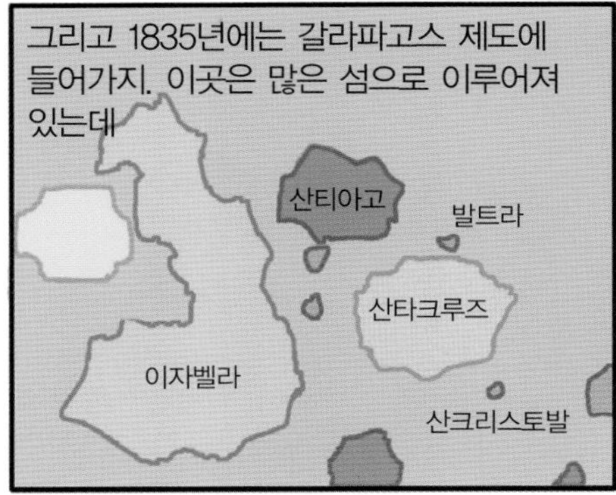
그리고 1835년에는 갈라파고스 제도에
들어가지. 이곳은 많은 섬으로 이루어져
있는데
산티아고
발트라
산타크루즈
이자벨라
산크리스토발

모든 섬에는 서로 다른 종류의
거북과 새 그리고 이구아나가
살고 있었지.

그런 다음 타히티 섬을 거쳐
뉴질랜드에 가서는
나는 타히티
섬의 여왕
포마레야.

마오리족과 1835년의 성탄절을 보내기도 했지.

1836년에는 오스트레일리아에 갔는데 다윈의 눈에는 완전히 다른 세상으로 보였다고 해.
신기한 동물이 많구나.
뭘 봐!

인도양의 킬링 제도에서는 산호초를 관찰하면서 자료를 모았지.

이후 모리셔스 섬,

남아프리카의 희망봉,

대서양 세인트헬레나 섬 등을 거쳐
나, 나폴레옹이 유배되었던 섬이기도 해.

영국 팰머스 항에 도착해서 항해는 끝나.
와~ 영국이다.

영국에 돌아 왔을 때 다윈은 벌써 스물일곱 살이 되어 있었어.
머리가 조금씩 벗어지는구나.

20대의 젊은 청춘 5년을 세계 여행으로 보낸 거지.
젊을 때 경험하는 거야.

다윈은 770쪽에 달하는 일기와 수많은 관찰 기록 노트.
관찰 노트
일지
나의 일기

수천 점의 표본을 가지고 돌아왔어.

다윈은 영국에 돌아오는 순간 이미 무척 유명해져 있었어.
쑥스럽구먼.
와아

다윈이 가지고 온 표본들 중에는 아직 영국에 알려지지도 않았고 연구된 적도 없는 내용이 무척 많았지.
아르마딜로 화석

사람들은 그런 것에 호기심을 보였고 다윈은 여러 모임에 초대되었어. 다윈이 수집한 화석은 라이엘의 연구소에서 분석되었는데
라이엘
훌륭해.
다윈

멸종한 거대 설치류와 나무늘보의 화석이었어.

그 지역에 현존하는 몇몇 종들과 관계가 있었다는 것이 알려지기도 했어.

현대의 아르마딜로

다윈은 1838년부터 3년 동안 영국 지질학회 간사직을 맡으면서 지질학 관련 글을 썼어.

다윈은 서른 살이 되던 1839년에 외사촌 누나 엠마 웨지우드와 결혼해.

당시에는 사촌과 결혼하는 것이 전혀 이상한 일이 아니었지.

이들 신혼부부는 정원과 온실, 마구간이 딸려 있는 커다란 집을 얻었어.

결혼한 첫 해에는 맏아들 윌리엄이 태어났고

이후 자식을 더 낳아 자녀가 무려 10명이 되지.

결혼 후에 다윈은 자주 아파서 1년에 몇 개월씩 요양소에서 보냈는데 어떤 병인지는 의사였던 아버지도 정확한 진단을 못했다고 해.

그리고 자녀들 중 셋은 어려서 죽었어.

그러니 '다윈의 인생이 과연 행복했을까?' 하는 생각을 하게 돼.

이런 상황에서도 다윈은 1837년부터 《종의 기원》의 시초가 되는 글을 쓰기 시작했어.

그리고 본격적인 연구도 시작하지.

직접 실험을
해 봐야지.

집이 곧 연구소라고 할 수 있었어. 정원에서 동물도 키우고

식물도 많이 키웠어. 다윈은 이런 관찰과 실험을 통해 사람들이 좋은 품종을 만들어 낼 때 선택을 핵심 원리로 삼았다는 점을 발견하게 돼.

하지만 자연 상태에서 선택이 어떻게 적용되는지는 한동안 미스터리로 남아 있었어.

야생에서는?

그러던 1838년 우연히 맬서스의 《인구론》을 접하게 돼.

인구론

토머스 맬서스는 영국 사람으로 목사이면서 경제학과 인구 통계학을 연구했는데

인구론
토머스 맬서스

인구는 기하급수적으로 늘어나지만 식량은 산술급수적으로 늘어난다는 이론을 정립하지.

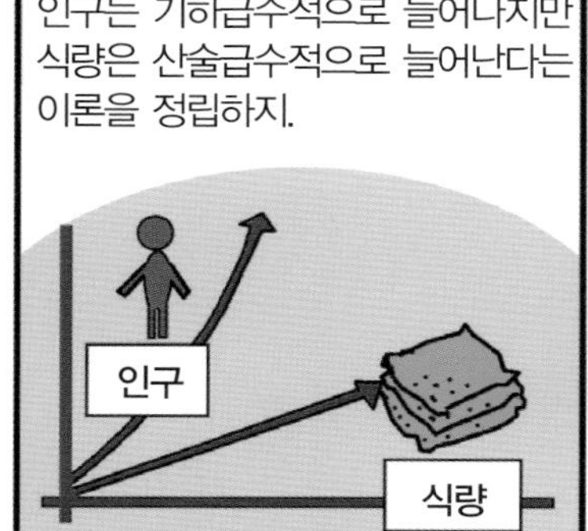
인구
식량

그는 당시 영국 사회가 처한 사회문제를 설명하려 했던 거야.

멜서스는 이론적으로 인구는 기하급수적으로 증가하지만 실제는 그렇지 않다는 사실을 발견하지. 그렇다면 인구 증가를 억제하는 작용이 있겠지.

생존 경쟁
억제
인구 증가
아하!
생존 경쟁이야.
이것이
인구 증가를
막는 거야!

다윈은 자연 세계의 질서를 설명하기 위해 맬서스의 경쟁의 개념을 도입해.

그거야.
자연에서 선택되려면
나 자신이 변해야 돼.

생존 경쟁과 자연선택의 개념은 이때 정립된 거라고 할 수 있어.

자연
선택
생존 경쟁

1838년부터 1844년까지 다윈은 진화론에 대한 생각을 차근차근 정리해 나갔어. 1842년에는 35쪽짜리 개요를 만들었고

진화론

1844년에는 230쪽짜리 완전한
논문을 완성했지.

그리고 평소에 친하게 지내던
식물학자 후커에게 조심스럽게
자신의 고민을
이야기해.

저는 갈라파고스 제도에 퍼져 있는 동식물을 보고 깜짝 놀라 종의 변화에 대해 어떤 빛을 던져 줄 수 있다고 생각되는 자료를 많이 보았습니다. 농업과 원예에 대한 책도 많이 읽었고 자료 수집을 잠시도 쉰 적이 없습니다. 그러자 한 줄기 빛이 비춰 오는 것 같았고, 이제는 당초의 생각과는 달리 종이 변하지 않는 것이 아니라는 확신에 거의 도달했습니다.

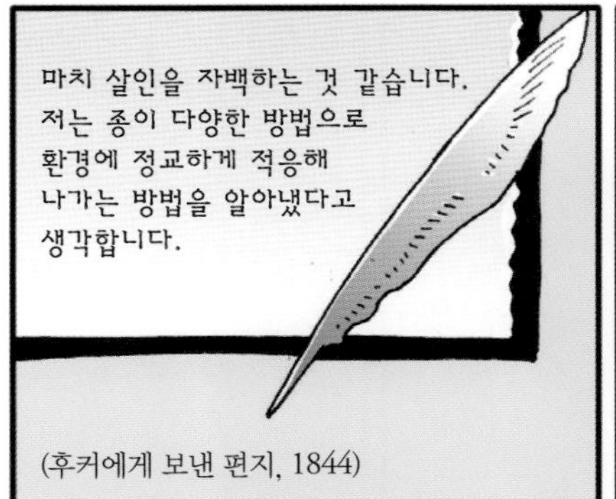

마치 살인을 자백하는 것 같습니다. 저는 종이 다양한 방법으로 환경에 정교하게 적응해 나가는 방법을 알아냈다고 생각합니다.

(후커에게 보낸 편지, 1844)

이때 다윈은 이 생각을
책으로 출간하려고
한 것 같아.
이만하면
충분하다.

그런데 석 달 후 다윈의 마음을 변하게
하는 일이 벌어졌어. 영국에서 익명으로
《창조의 자연사의 흔적》이라는 책이
출간돼.
창조의 자연사의 흔적

생명의 진화를 주장했던
이 책은 당시 영국 사회에서
수만 권이 팔려 나갔지.
밀리언 셀러

그러나 신을 모독했다는
이유로 엄청 비난을 받게 돼.
창조의

그리고 주장을 뒷받침하는 논리가 부족했기
때문에 지식인들 사이에서도 인정받지 못했지.
논점도
설득력도
부족해.
창조의

이를 계기로 다윈은 논리를
뒷받침하는 자료가 없이는
학회에서 인정받을 수 없음을
깨닫게 되었지.
논리
논증
팍팍 밀어 줄게.

다윈은 좀 더 많은 증거를 모으려고
했어.
증거
자료

그래서 1846년부터 따개비라는
바다 갑각류에 대한 연구를 시작해.

따개비는 다윈이 1846년부터
1854년 45세가 될 때까지
8년 동안 대부분의
시간을 투자한
연구 분야였고

《종의 기원》 본문에도 많이
언급되므로 잠깐 따개비에
대해서 이야기하고 넘어가자.

동물학자들은 따개비가 조개나 굴처럼
단단한 껍질을 가진 연체동물이라고
생각하지만 이들은 가재나 새우 같은
갑각류야.
나랑 같은
과구나.

따개비의 애벌레는
어린 새우와 비슷한데

이들은 일단 바닷물로 나가면
배 바닥이나 조개껍질 같은
곳에 붙어.
여기서
살자.

그러면 이들은 갑각류의
겉모습을 잃고 원추형의
껍질을 만들어.
어디
숨었게?

여기서 깃털 같은 발을
내밀어 물을 걸러
먹이를 잡아
먹지.

다윈의 아이들은 따개비로
가득한 집안에서 성장했고
아이들 친구들은 다윈이 따개비를
연구하는 사람인 줄 알았대.
너희
아빠는
따개비
박사니?

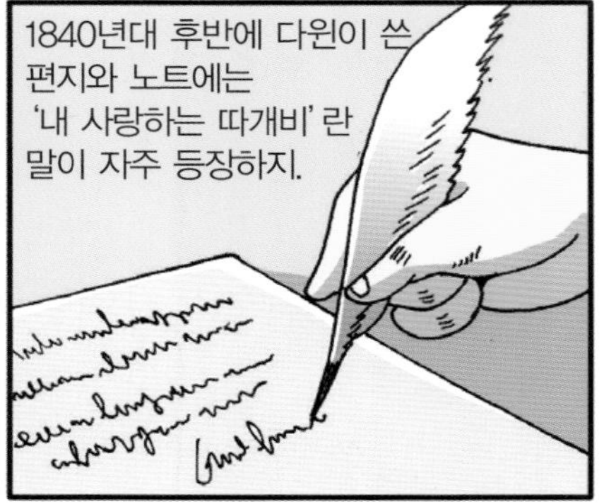
1840년대 후반에 다윈이 쓴
편지와 노트에는
'내 사랑하는 따개비'란
말이 자주 등장하지.

8년에 걸친 작업으로 그가 출간한
따개비 책은 널리 칭찬을 받았고
정말
대단하오.

그는 왕립 학회에서
메달까지 받아.

다윈이 따개비 연구에
매달려 있는 동안
아버지가 돌아가셨고
로버트 다윈

1851년에는 딸 애니가 죽는
슬픈 일도 겪어.

다윈은 애니의
죽음에 무척
힘들어 했다고 해.

이런 어려움에도 다윈은 연구를
계속해서 1856년에는 진화론 이론에
대한 책을 쓰기 시작했지.
내 모든 걸
여기에 쏟자.

그러던 중 1858년 앨프레드
러셀 월리스로부터 한 통의
편지를 받아.

월리스는 다윈과 함께 자연선택
이론의 개념을 주장한 학자야.
나는
가난해도
열심히
살았어.

그는 14세에 학교를 그만두고
측량 기사로 일해서 생계를
유지했어.

1854년부터는 동남아, 아마존,
인도네시아 등지를 탐험해서
연구했지.

다윈보다 한참 어린 그는 아직
주류 학계에 끼지 못한 가난한
과학자였어.
열심히
공부하자.

이런 현장 연구를 통해 그는 1858년에 다윈과
똑같이 맬서스의 생존 투쟁 개념을 종의 탄생과
연관시킨 논문 〈원형으로부터 무한정 이탈하려는
변이의 경향에 관하여〉를 썼어.
논문

월리스는 다윈에게 자신의
생각을 검토받고 싶었지.
다윈에게
보내자.

왜 하필 다윈이었을까?
이럴 수가!

사실 그는 다윈을 만난 적이
있었고 그에게 좋은 표본을
많이 보냈대.
새로운
표본이에요.

이미 다윈은 유명인이었으며
지질학과 생물학 분야에서 업적을
내놓았으므로

월리스는 다윈이 자신의 생각을 이해해
줄 것이라고 생각했던 거지. 월리스의
편지를 읽은 다윈은 무척 당황했다고 해.
선생님의
의견을….

그 20쪽짜리 논문은 자신이
20년 동안 생각해 온 이론과
너무나 같았던 거지.
20년
논문

마치 자신의 이론을 듣는
느낌이었다고 해.
이래서, 저래서.
내 마음을…

다윈은 이때의 심정을 라이엘에게 보내는
편지에 이렇게 썼어.
이보다 더 간결하고
좋은 요약은 없습니다.
그가 쓴 용어는 마치
내 책의 소제목들
같았답니다.

다윈은 월리스의 생각을
훔쳤다는 말은 듣고 싶지 않았지.
지금 발표하면 표절했다고 할 거야.

학자로서 양심의 고통이 너무
컸던 거지.
논문

그런데 라이엘과 후커가 좋은 방안을 찾았어.
그들은 다윈이 자연선택에 관하여 쓴 글과
후커에게 보낸 편지의 일부
두 개를 동시에
굿! 아이디어

그리고 월리스의 논문을
함께 묶어
저도 같이요?

런던 자연사 학회인 린네 학회에
공동 발견자로 발표하게 했어.
공동 발견

그런 과정을 거쳐 두 논문은
1858년 7월 1일에 발표되었어.

그런데 다윈은 아들이 3일 전
죽는 바람에 발표회에 참석하지
못했고

단지 린네 학회 회원 30명 앞에서
낭독하는 것으로 조용하게
끝냈다고 해.

그런데 진화론을 공부하는 사람 말고는
월리스란 이름을 기억하는 사람이
별로 없어.
그게 누군데요?

2등은 기억되지 않는다는 법칙이 여기에도 작용하는 거지.
서럽다..
1등
2등

학계에서 찰스 다윈에게 자연선택 이론에 대한 우선권을 인정하는 이유는
승

그가 월리스보다 15년 앞서 그 이론을 정립했고 그를 뒷받침하는 《종의 기원》이라는 책을 출간했기 때문이야.
내가 먼저.
15년

드디어 《종의 기원》이 1859년에 출간돼.
종의 기원
찰스 다윈

다윈은 《종의 기원》에서 인간의 진화에 대해서는 이야기하지 않았지만
왜?

사람들은 '종이 진화했다면 인류는 어디에서 오게 됐는가?' 라는 질문을 할 수밖에 없었지.
우리 조상은?
글쎄.

다윈 이론을 설파하고 다녔던 헉슬리는
콧구멍이 똑같다니까요.

인간은 원숭이와 같은 조상에서 기원했다고 대담하게 주장하기도 했어.
조상님!
오냐!

이제 진화론은 인간에 대한 논쟁을 피할 수 없게 됐지.
원숭이 후손.
신의 피조물!

그래서 다윈은 1871년에 《인간의 유래》를 출간했어.
인간의 유래
찰스 다윈

이 책에서 다윈은 최종적으로 인간과 원숭이는 조상이 같다는 것을 확실하게 말했지.
공통 조상

이 책은 당시 만화가들에게 가장 인기가 있었으며
흥미롭군. 흐흐흐~

그들은 다윈을 원숭이로 풍자하는 만화로
잡지를 채웠다고 해.

1872년에 출간한
《인간과 동물의 감정 표현》
에서는
인간과 동물의 감정 표현

그가 첫 아이를 키우면서 관찰해
온 웃음, 찡그림 같은 행동의
진화를 기술했지.

그 외에도 다윈은 많은 책을
썼어.

다윈도 자신이 연구했던
다른 생물과 마찬가지로 죽음을
피할 수 없었어.

그가 임종할 때 진화론을 포기하고
자신이 기독교도라고 밝혔다는
이야기가 떠돌기도 했지만
주여
저를 용서
하소서.

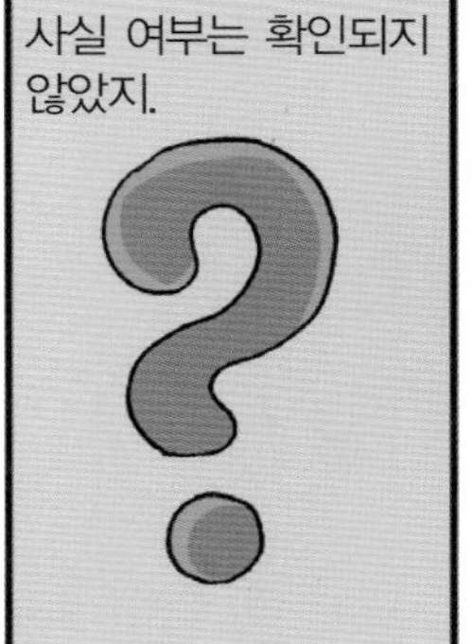
사실 여부는 확인되지
않았지.

1882년 4월 18일 다윈은 임종할 때 부인
엠마에게 다음과 같은 말을 했다고 해.
적어도… 나는…
죽음이… 두렵지 않아.

다윈은 자신이 살아왔던 마을에
묻히길 원했지만

그의 동료들은 다윈의 명성에
걸맞게 웨스트민스터 대성당
묘지에 묻혀야 한다고
생각했어.
허락
합니다.

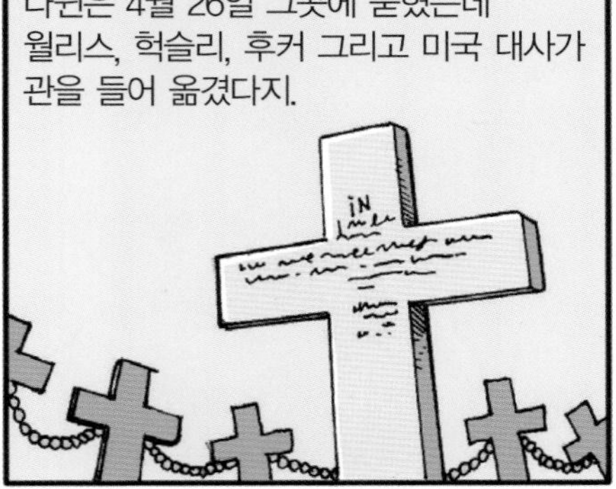
다윈은 4월 26일 그곳에 묻혔는데
월리스, 헉슬리, 후커 그리고 미국 대사가
관을 들어 옮겼다지.

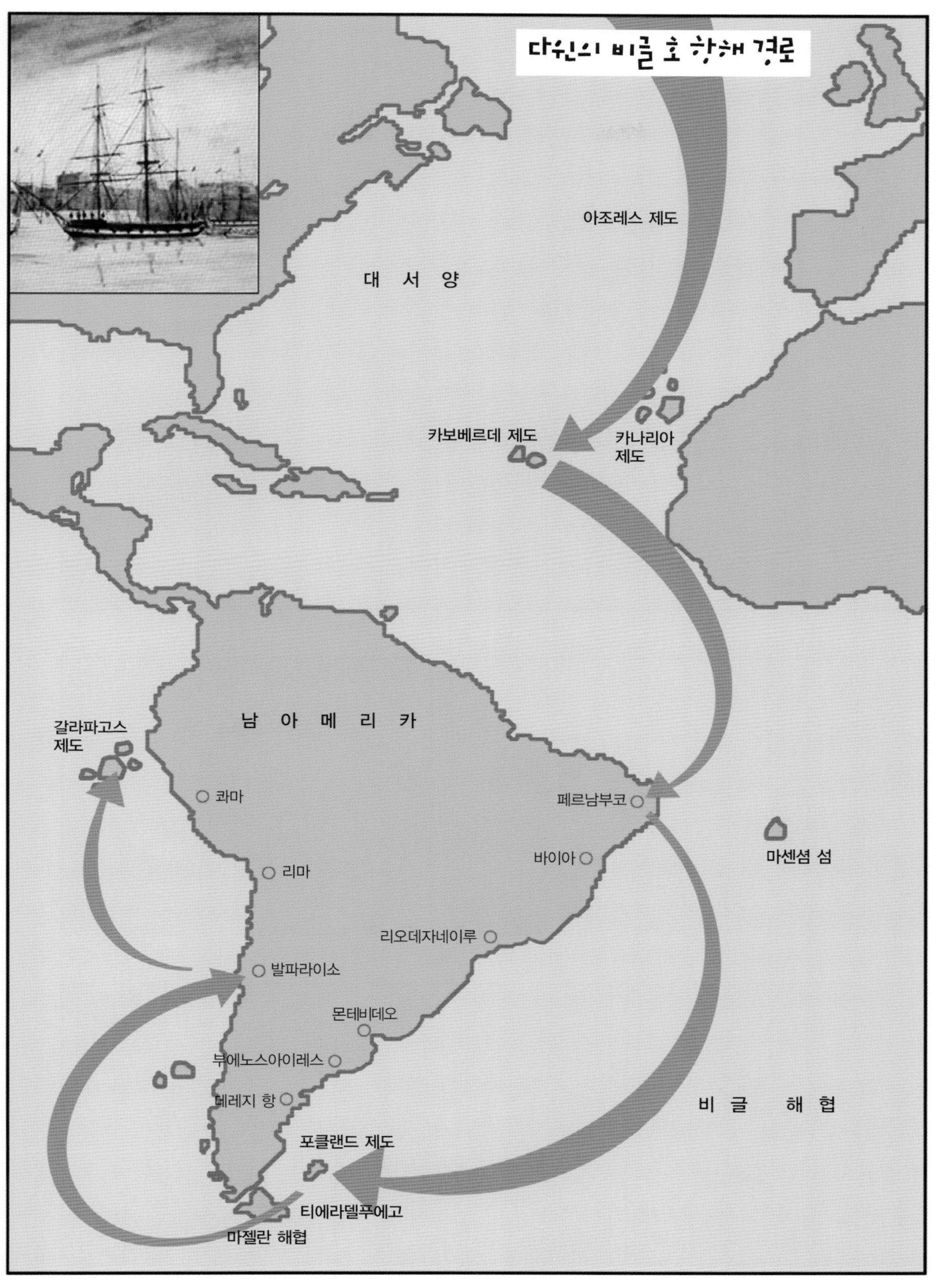
다윈의 비글 호 항해 경로
아조레스 제도
대 서 양
카보베르데 제도
카나리아 제도
남 아 메 리 카
갈라파고스 제도
콰마
페르남부코
바이아
마센섬 섬
리마
리오데자네이루
발파라이소
몬테비데오
부에노스아이레스
데레지 항
비 글 해 협
포클랜드 제도
티에라델푸에고
마젤란 해협

제3장 기르는 동식물에서 생기는 변이

흑소
(아시아, 아프리카)

한우(한국)

셔틀레이 종
(영국)

워트시 종
(아프리카)

쿠물리 종
(아프리카)

사람들은 오래전부터 동물을 기르고 식물을 재배해 왔지.

그런데 사람들이 길러 온 동물이나 식물을
관찰했더니
z z

이들은 자연 상태에 있는 것들보다 같은
종끼리의 차이가 훨씬 큰 거야.
왈
왈

이런 차이를 '변이'라고 해.
응가?
허걱!

왜 이런 변이들이 나타날까
생각해 봤는데
?
변이

아마도 사람들이 만들어 준 환경이 자연 상태 그대로의 환경과 다르기 때문이겠지.
HOME

어떤 사람들은 사람들이 너무 먹이를 많이 준 까닭에 변했다고 하는데 그것도 나름대로 일리가 있지.
허겁 지겁
저게 돼지야, 고양이야?

영원히 사는 생물은 없고 모두 자식을 낳고 죽지.
맘
에고 너무 오래 살았지….

그런데 자손은 부모와는 조금씩 달라.
뭔가 많이 다른 거 같은데.
아빠 맞아?

생물은 부모 세대에서 자식 세대로 이어지면서
1세대
2세대
3세대

최초의 부모 세대와는 많이 달라지게 돼.
내 손주 맞냐?
누구?

사람들이 가장 오래전부터 재배해 온 밀과 같은 식물은

지금도 계속 새로운 변종*을 만들어 내고 있고
난 변종이야.
너같이 생긴 밀은 처음 본다!

*변종 – 같은 종류의 생물 가운데 변이가 생겨서 성질과 형태가 달라진 종류.

사람들이 오래전부터 길러 온 가축들도 역시 변종이 태어나고 있지.
무슨 양이 뿔이 없냐?

변종은 방금 말한 변이와 비슷한 거라고 생각하면 되는데
안녕! 난 변이라고 해.
나는 변종이야. 많이 닮았네.

이 문제를 오랫동안 생각한 끝에 내가 내린 결론은
문제
문제
문제
결론

세대가 거듭되면서 생활 조건이 달라지고 그에 따라 생물이 변이를 일으킨다는 사실이야.
1세대
2세대
3세대

꽃이 피는 어떤 나무를

기후가 다른 곳으로 옮겨 놓으면 꽃이 피는 시기가 달라진다는 것은 모두들 알고 있을 거야.
썰렁

동물들도 환경에 따라서 많이 달라지지.
휴~ 덥다.

나는 시골집에서 기르는 오리들과
밥 줘!

들판에서 자유롭게 사는 오리들을 관찰하면서
꽥
꽥
내 밥이야!

집오리들은 야생 오리들보다 날개뼈가 가볍고 다리뼈는 더 무겁다는 것을 알아냈지.
네 날개 근사하다.
넌 축구 선수냐?

왜 이런 차이가 생겼을까 생각해 보았는데
?

집에서 사육되는 오리는 자기의 원래 조상인 야생 오리보다 덜 날고
와~ 할아버지 끝내 준다!
파닥
파닥
저런 게으른 녀석.

많이 걸었기 때문일 것으로 결론을 내렸어.
할아버지 같이 가요!

또 젖을 자주 짜는 나라의 암소나 젖소는

다른 곳의 염소나 암소보다 젖통이 크다는 사실도
와~ 크다.

많이 사용하는 부분이 발달한다는 나의 이론이 옳다는 것을 증명해 주지.

사람들이 기르는 짐승들의 귀는 대부분 모두 늘어져 있는데
좀 주라….

이것은 이들이 갑자기 놀랄 일이 거의 없어 근육을 사용하지 않기 때문이겠지.
나는 안전해. 놀랄 일도 없지.

야생에서 살던 동물들이
킥킥
킥킥
야생

사람들에게 길러지면서 습성이 변하는 것은 자연스러운 현상이라고 말할 수 있지.
그만 놀고 밥 먹자!
야생
네!

사용하는 부분은 계속 발달하고
후루룩 짭!
후루룩 짭!

사용하지 않은 부분은 퇴화되어
넌 꼬리가 없니?
필요 없어.

결국은 몸 구조가 변하게 된단다.
난 조류일까요, 포유류일까요, 어류일까요?

그런데 중요한 사실은 이 변화된 구조가 자식 세대에 유전된다는 점이야.

그런데 유전이 어떤 과정을 따라 일어나는지는 거의 알려지지 않고
나도 몰라.

다만 확실한 것은 자식은 부모를 닮는다는 거야.

그런데 부모와 자식은 완전히 같지는 않아.
배고픈데 우리 짬뽕 시켜 먹자.
저는 자장면 먹을래요.

즉 어떤 것은 유지되고 어떤 것은 유전되지 않는다는 거지.
더 이상은 키가 안 자라요.
누굴 닮아 이리 작은겨?
또 오래된 세대에 있었던 특징이 부모에게 나타나지 않다가
우리 할아버지는 코가 참 크셨는데….

갑자기 자식에게 나타나기도 하고
네가 증조 할아버지 코를 쏙 빼닮았구나.
네?

자식이 아들인지 딸인지에 따라서 한쪽 부모의 특성을 물려받기도 해.
아빠가 그러는데 난 엄마 닮아서 건망증이 심하대.
그건 내가 너한테 말했던 것 같은데.

이런 문제에 대해 설명할 수 있는 사람은 아무도 없단다.
퐁
문제
텅

야생에 사는 생물들을 잘 관찰해 봐.
야생

그러면 같은 종*이라고 하더라도 조금씩 다르다는 것을 알 수 있을 거야.
우리들이 뭐가 다르지?
네 다리가 더 짧다.

개나 고양이 혹은 나무도 같은 것은 하나도 없고 모두 다 달라.
당연하지.
우리들도 각자 개성이 있다구!

*종 – 서로 유전 생식을 할 수 있는 생물 분류의 기초 단위로 아종(亞種), 변종(變種), 품종(品種) 따위로 나뉜다.

그러면서도 다른 여러 품종의 가축이나 농작물을 보고
A
B
C
D

조상이 같은 것들끼리 어떻게 묶을 수 있을까?
정말 닮았어….
A조상
B조상

차이만 보고 이들이 하나의 조상에서 유래한 같은 종인지
이놈이 형인가?

아니면 서로 다른 조상에서 유래한 다른 종인지
개네들은 내가 조상이오.
C조상
D조상
무슨 소리!

명확히 판단하기는 매우 어려울 거야.
….

아마도 우리가 사육하는 가축들의 기원은
우리들의 기원을 밝혀 주세요.

대부분 영원히 밝혀지지 않을지도 몰라.
…
몰라!
그건 나도 몰라.

나는 이 어려운 문제에 도전해 보기로 했어.
문제
내게 맡겨.

특수한 집단을 연구하면 해답의 실마리를 찾을 수 있을 거라 생각했지.
특수 집단

고심 끝에 나는 집비둘기를 연구하기로 했지.
날 연구하겠다고?

나는 비둘기를 정말 많이 샀어.

개중에는 그냥 얻은 것도 있었고
야! 이 집에서는 밥이 공짜래.
와아 신난다.

어쨌든 나는 내가 구할 수 있는 모든 품종의 비둘기를 길러 봤단다.
너희들은 같은 종 아니니?
이런 천한 것과 비교하다니 너무하시네.

영국과 멀리 떨어진 인도 같은 외국의 비둘기들은 박제된 것을 구해서 연구했지.
인도 전문
살아 있는 것이었으면 더 좋았을 텐데.
다른 것 또 필요한 건 없수?

비둘기에 관한 많은 논문들을 읽었고

런던에 있는 비둘기 클럽에도 가입하고
가입을 축하 드립니다.

여러 동물 육종가들과 토론을 많이 했지.
비둘기는 암컷과 수컷이 어떻게 좋아하나요?
…!

육종가들이란 동물이나 식물들을 직접 기르면서 새로운 품종을 개발하는 사람인데
OK!
뿅
꾁!

나는 이들로부터 많은 것을 배울 수 있었단다.
감사.
배움

비둘기를 잘 관찰해 봐.

그러면 비둘기라고 해서 모두 똑같은 것이 아니라는 것을 알 수 있을 거야.
오오. 너는 부리가 뾰족하구나.

실제로 비둘기들은 놀라울 정도로 품종이 다양해.
정말 다양하구나.
내가 보기엔 다 똑같은데.

나는 여러 품종의 비둘기들의 뼈대를 비교해 보면서
이건 갈비뼈 이건 등뼈 이건 목뼈.

특히 얼굴뼈에서 차이가 많이 난다는 것을 알아냈지.
하하하! 넌 머리가 크구나.
쉿!

또 등뼈나 갈비뼈의 수도 다르며
넌 허리가 길어서 등뼈가 많겠구나.
앗! 창피해.

꼬리, 깃털 수, 날개와 꼬리의 길이, 다리와 발의 길이 등 형태가 모두 달라.
다양하게 다르군.

알의 모양과 크기도 각자 다 다르고.
내 알 내놔!

날아가는 방식도 자세히 보면 차이가 있어.
꼭 반 박자씩 느리네.

또 어떤 품종은 울음 소리도 달라.
거걱 거걱
쟤는 만날 울기만 해서 저래.

깃털이 나는 시기도 서로 다르고
야~ 새 깃털 멋있다.
흠! 흠!
난 아직인데.

같은 품종이라도 암컷이냐 수컷이냐에 따라서 다른 경우도 있었어.
착각하지 말라고.
미리 말씀 드리는데….

나는 숙녀예요.

만약 비둘기를 전문적으로 연구한다는 조류학자에게 이 여러 품종의 비둘기를 야생에서 잡아온 새라고 속이고 보여 주면
아닌데.
야생에서 잡은 새입니다.
오~ 그래요.

그 학자는 분명히 그 비둘기를 야생의 새라고 생각하고 자신 있게 여러 품종으로 분류할 거야.
바보.
가만 있자, 이게 정말 야생 새라면
푸드득…
또 다른 품종으로 분류해야 하겠는데.

그만큼 사람들에게 길들여진 비둘기들을 야생의 새와 구별하기 어렵다는 이야기지.
이런 섞였잖아!

또 아무리 유능한 조류학자라 할지라도
커험! 새에 대해선 척척박사 입니다.

다양한 종류의 비둘기들 중 몇몇이 같은 속*에 속한다는 것은 아예 알지 못 할 거야.
같은 속
전서비둘기, 공중제비 비둘기, 갓가지비둘기, 공작비둘기.
글쎄요.

*속 – 생물 분류의 한 단위. 과(科)와 종(種) 사이에 있다.

그리고 비둘기를 연구하면서

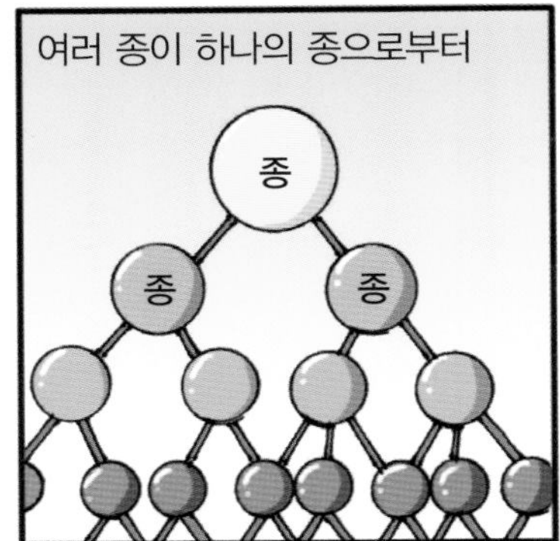
여러 종이 하나의 종으로부터
종
종
종

직계 자손일 수 있다는 사실을 깨우칠 수 있었단다.
이 못난 녀석과 같은 자손이라니 말도 안 돼.
흥!

사람들이 사육하거나 재배한 동식물 품종의 가장 뚜렷한 특징은
?
그게 뭔데?

동식물 자신을 위해서가 아니라 사람이 원하는 대로 변해 있다는 점이야.
가라.

사람에게 유리한 변이가 어느 날 갑자기 나타난 경우도 있을 거야.
얼마나 힘들던지.
크다.

하지만 짐을 운반하는 말과 경주용 말,
빠르다.

털의 용도가 제각기 다른 양들
내 털은 이불솜으로 쓰일 거래.
내 건 옷 만드는 데 쓴대.

그리고 인간에게 유익한 농작물과 아름다운 화초를 생각해 보자.

이 모든 것들이 갑자기 변했다고는 생각하기 어렵겠지.
우리 조상은 누구지?

아마도 서서히 변했을 텐데
변이

그 변화를 일으킨 주인공은 인간이었지.
천천히 가자.
FX
변이

동물이나 식물은 자손을 낳을 때마다 변했을 텐데
넌 좀 심하게 변한 거 아니니?

사람들이 자신에게 유익한 것만을 계속 골라서 키우다 보니까
자~ 많이 많이 먹어라.

나중에 그 자체가 변하게 된 거지.
인간들이 너를 살찌워서 잡아 먹으려고 한 거야.
네가 원래 돼지야?

육종가들은 흔히 동물을 자기들이 원하는 대로 만들 수 있다고들 자신 있게 말하지.
하하하.
왈.. 왈..
너를 개종해서 만든 미니핀이다.

어떤 동물 감정가는 선택의 원리를 다음과 같이 말했어.
탁
선택의 원리

무엇에 쓰는 물건이냐?
촥

농부로 하여금 가축의 특징을 변화시켜
말처럼 힘이 세고
당나귀처럼 지구력이 있으려면

원하는 형태에 생명의 숨결을 불어넣어 주는
노새를 만들면 되지.

마법의 지팡이라고.

또 어떤 육종가는 벽에 분필로 완전한 형태를 그린 뒤

그것에 생명을 불어넣어 주는 것과 같은 일이라고도 말했단다.
음메~

새로운 품종의 양을 개발하는 육종가의 이야기를 들어 보면
양에 대해선 제가 박사죠.

그 사람은 몇 개월 간격으로 세 번에 걸쳐 양들을 세밀히 조사해.
이 녀석은 3일 동안 졸고만 있군.

그리고 그때마다 등급을 매겨 양들을 분류한 다음
1
2
3
아싸 1등!
3등도 상품 있지?

최종적으로 가장 좋은 품종을 가려내지.
1등

양의 유용한 특성을 가려내어 그것을 유전시키는 일은
1등!

연구를 많이 하고 경험이 많은 사람만이 할 수 있는데,
험
모두 주인님 덕분이에요.

이렇게 개발된 동물에는 막대한 가격이 매겨진단다.
100만원

이런 식으로 품종을 개량한 예는 식물에서도 찾아볼 수 있지.

점점 커지는 과일이 한 예인데 20~30년 전에 그려진 그림에 있는 것과

오늘날 꽃집에 있는 것을 비교해 보면

그동안 얼마나 개량되었는지 알 수 있지.

어떤 품종의 식물이 일단 확립되면 원예 전문가들은 표준에서 벗어난 좋지 않은 것들을 뽑아 버려.
이제 필요없어.

사람들이 동물들을 사육할 때도 사실상 이런 방법들을 사용하지.
뻥
퇴출!

가장 나쁜 동물을 번식시킬 정도로 바보 같은 농부는 없을 테니까.
젖이 줄었어.
편식하지 말랬지!

이처럼 자연에 의해서 변이가 주어졌을 때
으쓱
이렇게 많이.
우유

인간은 그것을 선택하여 대대로 유전시킬 수 있지만
나도 엄마처럼 될래.
그럼 골고루 많이 먹어야 돼요.

인간 스스로 동물이나 식물의 내부 구조나 외부 형태를 바꿀 수는 없단다.
우유
너무해.
좀 심했나?

예를 들면 사육사들은 독특하게 생긴 꼬리를 가진 비둘기를 발견하고는
멋지죠?

그것을 유전시켜
더 멋있게 만들어 줄게.

공작비둘기를 만들어 냈다고들 말하지.
와~ 훌륭하다.
내 작품입니다.

그런데 정확히 말하면 만들었다기보다는 대를 이어 의도적으로
꼬리비둘기만 수집하자.

선택을 함으로써 공작비둘기가 생겨난 것이라고 말하는 것이
부끄….
너희들은 너희끼리만 사랑해야 돼. 알았지?

정확한 표현이겠지.
나야!

고대 중국의 백과사전이나
로마의 옛 문헌에도

이런 선택 방식들이 자세히
기록되어 있단다.

이것으로 보아 고대에도 사람들은
니가 뛰어 봐!
더 빨리 달리게 만들어 주시오.

가축의 품종을 개량하기 위해 노력했음을
알 수 있지.
잡아라!
잡히면 죽는다 달려 달려!

여기서 인간의 선택에 의해 품종이
개량되는 데에 유리한 환경과
와~ 많다.
농작물

불리한 환경에 대해
말해볼까?
난 겨우 두 개.

변이성이 높다는 것은
왕감자!

선택하기 위한 재료를 충분히 공급해 주기
때문에 분명 유리하지.
우르르

그리고 그냥 보기에 단순하다고
지나치지 말고
틀림없이 다른 특징이 있을 거야….

동식물 개체 간의 미세한 차이를 발견하여
다 똑같은데 뭘 그렇게 골라요?
맞아.
좋은 열매로 보답할게요.
나도!
나도 멋진데!

원하는 방향으로 변화를 꾸준히
축적해 가야 해.

그러나 인간에게 유익한 변이들은 어쩌다가 우연히 나타나기 때문에
안농하세용, 안농!
말을 하네!

그런 기회를 많이 잡으려면

기본적으로 기르는 동물이나 식물의 수가 많아야 해.
특기 있는 동물은 손들어요.

즉 성공을 위해 가장 중요한 것은 숫자라고 할 수 있지.
저는 100미터를 5초에 달릴 수 있어요.
전 먹기요!

그래서 묘목 재배업자나

대량으로 가축을 사육하는 사람들은

다른 사람들보다 새로운 변종을 만들어 내는 데 유리하지.
백열셋!
메~

그리고 더 중요한 것은 동물이건 식물이건 각 개체의 품질이나

구조에서 지극히 사소한 차이에도 세심한 주의를 기울이는 거야.
비슷하긴 한데.

딸기를 재배하는 농부가 아무리 딸기를 많이 재배하고 있다 하더라도

딸기의 미묘한 차이를 발견하지 못한다면
후아~ 덥다!
얘랑 나랑은 다르다구요!

품종을 개량할 수 없어.
또 실패야!

만약 그가 딸기 중에서
좀 더 큰 것이나
이 녀석들 튼실하게 열렸네.

일찍 열리는 것
추위도 나를 막을 수 없어.

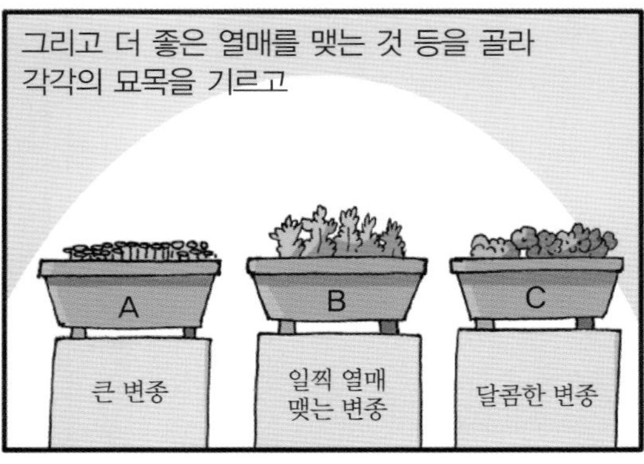
그리고 더 좋은 열매를 맺는 것 등을 골라
각각의 묘목을 기르고
A
B
C
큰 변종
일찍 열매 맺는 변종
달콤한 변종

다시 그중에서 가장 좋은 것을 골라 번식시킨다면 훌륭한 변종을 만들어 낼 수 있지.
크고 맛있는 딸기가 가득 열렸다.

이러한 농부들의 노력이 있었기 때문에 우리가 현재 먹는 딸기가 나오게 된 거지.

동물의 경우에는 교배를 잘 조절하는 것이
부럽다.
노새

새로운 품종을 얻을 수 있는
열쇠라 할 수 있어.
엄마, 나는 누굴 닮아 이렇게 멋있는 거야?

비둘기는 평생 같은 배우자와
짝을 짓게 할 수 있어서
할멈 언릉와~
손자들이 기둘려.
콩콩..

순수성을 유지하기가 쉽고
너는 영국 순수 혈통 전서 비둘기야.
네.

또한 빨리 번식시킬 수 있기 때문에
할아버지.
할머니.
아이구 내 새끼들.
우루루루

품종을 개량하는 데도 유리하지.
우리 비둘기는 290종이나 됩니다.

반면 고양이는
야옹

밤에 돌아다니는 습성이 있어
쉽게 교배시킬 수가 없고
야~

따라서 하나의 고양이 품종을 오랫동안
보존하기가 힘들어.
여친이
기다리다
가 버렸잖니.
아~
피곤해.
근데 우리
나래 맞니?

당나귀도 품종 개량이 잘
안 되는데
늦잠꾸러기야.
어서 일어나.
일해야지.
에그….

그 이유는 가난한 사람들이 몇 마리
정도 키울 뿐
힘내! 이걸 팔아야
너도 먹고 나도
살고 그러지.

번식에는 별 관심을 갖지 않기
때문이야.
장가 좀
보내 줘요~
네!
일찍 자라.
내일도 바쁘다.

하지만 최근에는 스페인과
미국 일부 지역에서
어느 녀석이
좋을까…?

세심한 노력으로 당나귀를 놀라울
만큼 개량했다는 소식을
들었어.
형씨
달리기
한판해?

즉 변이성이 적은 가축은
다른 가축보다

품종이 단순하지.
늙어서 등 긁어 줄 사람,
아니 고양이 하나 없구나.
벅
벅

고양이, 당나귀, 공작 등의 품종이
다양하지 못한 이유는
너도
외롭구나?

선택의 과정이 그만큼 없었기 때문이라고
할 수 있지.
이걸
어디다 써요?
돈도 안 되는데.

지금까지 살펴본 대로 사람들은 자신의
이익을 위해 기르는 동식물의
안녕!
이쁘다.

품종을 개량했고
끼우욱..
짖지를
못하네.

이 품종 개량은 선택이 계속
쌓이면서 이루어졌어.
으르렁
으악!

동물을 사육하는 사람이나 농업 전문가들은

뚜렷한 목적을 가지고 새로운 품종을
만들어 내려고 노력하고
있지.
일석
이조군.

그렇지만 길고 긴 역사를 보면 일반
사람들에 의한 선택이 더 중요해.
왕
앙
앙

개를 기르고 있는 사람들은
가능한 한 우수한 개를 기르려고
할 것이고
난 프랑스에선
명견이야.
코커 스패니얼

자기가 소유한 개 중에서 가장
훌륭한 개에게 새끼를 낳게
하려고 하지.
좋은 혈통이네요.

비록 주인이 개의 품종을 바꾸려고
의도하지는 않았어도
이 방법이 몇 세대 동안
계속된다면
1세대
2세대
3세대

어떠한 품종이라도 개량되고
변할 거야.
그래서
내가 태어
난 거야!
라이거!

이러한 선택은 어떤 방향성이 있는 것처럼 보일지라도 그 순간 순간에는 아무도 의식하지 못해.

같은 지역에 같은 종의 꽃이 살고
있었다고 가정하자.
지층이 융기하여 생긴 턱으로
인해 두 무리로 나누어지면
두 무리의 꽃은 서로 다른 환경
속에서 돌연변이가 일어나고

역설적으로 의식하지 못하기 때문에 수백 년에 걸쳐서 선택하고 그 변이를 축적하는 것이 가능한 것이지.

그 돌연변이 중 환경에 적응한
우수한 종만이 살아남게 되겠지.
시간이 흘러 지층이 침강해
다시 같은 환경에 놓인다 해도
이미 두 꽃은 서로 다른 종이
되어 버린 뒤지.

결론적으로 나는 선택의
지속적인 누적이

사육 품종의 생성에서 가장
우세한 힘을 발휘한다고 생각해.

품종과 육종이란 무엇일까?

다양한 동식물의 다양한 변이와 선택

다윈은 자기가 기르던 비둘기나 또 다른 사람들이 기르는 오리, 고양이, 닭, 말, 개와 같은 가축에 대한 이야기로 《종의 기원》 첫 장을 시작해. 그런데 다윈이 이러한 이야기를 하면서 독자들에게 전달하고 싶었던 것은 우리 인간이 기르는 동물이나 식물이 매우 다양하다는 점이야. 그리고 이들 동식물들이 야생 상태와는 아주 다르게 변했는데 이것은 사람들이 일정한 특성을 선택했고, 이 특성이 유전되어 현재 가축에 이르렀다는 점이야.

별로 대수롭지 않은 것으로 보이지만 다윈은 진화론에서 가장 중요한 두 가지 개념을 《종의 기원》 1장에서 내놓은 거야. 변이와 선택! 즉 생물은 모두 각기 다르다는 것이고, 선택을 통해서 변한다는 점이지. 다윈은 5년 동안의 세계 여행을 마치고 영국에 돌아와서는 여행 중에 느꼈던 종의 기원에 대한 자신의 생각을 뒷받침해 줄 수 있는 근거를 찾으려는 연구를 계속하게 되는데, 그 대상이 사람들이 기르고 있는 동물이나 식물이었지.

인위 선택 개념의 정립

비둘기는 날아다니는 새 중에서 가장 번성한 종에 속해. 세계적으로 널리 분포해 있고, 키우기도 그렇게 어렵지 않아. 이 새들은 암컷과 수컷이 한번 맺어지면 평생 같이 살지. 그래서 다윈도 비둘기를 연구 대상으로 선택했을 거야. 비둘기 사육은 당시 영국에서 인기 있는 취미 생활이었다고도 해. 사람들은 자기가 원하는 비둘기를 얻으려고 암컷과 수컷을 한 우리에 넣고 교배를 시켜 왔지. 자연 상태에서 살아가던 동물을 사람이 기르면서 인위적으로 교배를 시켜 원하는 방향으로 개량한 동물을 품종이라고 하고, 이런 일을 품종 개량 혹은 육종이라고 해.

품종은 같은 종에 속하지만 모양이나 특성이 조금씩 달라. 우리가 많이 접하는 개의 품종을 예로 들면 진돗개, 삽살개, 그레이하운드, 불독, 블러드하운드, 달마시안, 발바리… 등등 수도 없이 많아. 이들 모두가 '개' 라는 같은 종에 속하지. 연구에 의하면 모든 개는 늑대에서부터 진화해 왔는데, 인류는 1만 4,000년 동안 인공 선택을 통해 400종의 개를 탄생시켰다고 해. 식물에서도 인간이 개발한 품종의 예는 많아. 양배추, 브로콜리, 싹눈양배추, 꽃양배추, 케일, 구경양배추, 콜리플라워 등도 겉모습은 아주 다르게 보이지만 하나의 야생 양배추를 선택적으로 키워서 개량한 품종이야. 이런 품종은 인류가 오랫동안 동식물을 기르는 과정에서 생겨났지. 다윈이 살았던 18세기와 19세기에는 많은 식물학자들이 교배 실험을 했어. 역사적으로 이 시기는 근대 육종학이 발전하는 시기였지. 다윈은 당시 능력 있는 육종가나 원예사와 직접 대화를 해서 많은 것을 배우고 다방면의 독서를 통해서 자료를 수집했고, 자기가 직접 동물이나 식물들을 많이 키워 보기도 했어. 다윈이 쓴 일기에 의하면 자신은 베이컨의 귀납 원리에 따라 이에 대한 방대한 자료를 수집하려고 했다고 해. 다윈은 인류가 발전시켜 온 품종 개량을 연구하면서 인위 선택에 의해 유도된 변화에 주목하고, 여기에서 인위 선택이라는 개념을 정립하지.

제4장 자연 상태에서의 변이

앞 장에서 알게 된 여러 원리를
A 지각
판 B

자연 상태의 생물에 적용하려면
몸 색도 변한다.
눈이 360도 돌아가네.

그 생물들이 어떤 변이를 일으키는지 알아야 하고, 종이 무슨 의미인지도 먼저 알아야 해.
이건 돼지야, 캥거루야?
그러는 넌?

종이 무엇인지에 대해서는 모두가 만족할 만한 정의를 내리기 어렵지만
종

자연학자라면 종이 무엇을 뜻하는지에 대해 의견이 많이 다르지 않을 거야.
나비 애벌레구나!
박사다!

변종이라는 말도 정의를 내리기가 쉽지 않지만
나처럼 안경을 쓰고 잘 봐봐….
안경원숭이

변종끼리는 기원이 같다는 정도로 일단 이해해 두자.
생긴 건 달라도 우린 사촌지간이지.
반가워요, 형님.

같은 부모에게서 태어난 형제라 해도 이들은 모두 달라.
녀석들 가지각색 이네.
봐! 내 발이 더 크지?
나는 이쁜 내가 자랑스러워.
이게 큰 거야?

마찬가지로 같은 지역에 사는 같은 종의 부모에게서 태어난 새끼들도 모두 다르지.
하나, 둘. 하나, 둘.
에고! 달리기는 내 체질이 아냐.

이러한 개체 사이의 사소한 차이를 개체적 차이라고 하지.
별 차이 없는데요!

이들 개체적 차이는 우리에게 매우 중요해.
밑줄 쫙!

왜냐하면 누구나 잘 알고 있는 바와 같이 이들의 차이는 유전되기 때문이야.
와~ 엄마 엄청 빠르다.

따라서 이들 차이는 마치 인간이 자기가 기르는 생물들의 개체적 차이를
으르렁

일정한 방향으로 누적시키는 것과 같이
주인님, 제가 눈이 되어 드릴 게요.

자연선택이 작용하여 누적해 갈 재료가 되어 주지.
많이 먹고 엄마 대를 이어야지.
와 맛있다.

종의 성질을 상당히 많이 갖추고 있는 동시에 또한 다른 것과도 닮아 있어서
너! 선인장 맞아? 바나나 같은데….

독립된 종으로 취급되기 어려운 모호한 생물은 내 연구에
매우 중요해.
안녕!
저의
기원을
밝혀
주세요.

일반적으로 학자들은 두 가지 생물이
모호하게 중간적인 특성을 가지고 있어서
딱 잘라서 구별할 수 없을 때
안녕! 나는 긴 호박이야.

임의적으로 한쪽을 다른 한쪽의
변종으로 보는데
변종
저를 의심하는
거예요?

숫자가 많다든지 처음 알려진 쪽을
종의 위치에 놓고
친구들
고마워.

다른 한쪽을 변종의 위치에
놓는 경향이 있어.
영원한
아웃사이더
….
변 종

그러나 실제로는 한 쪽을 다른 한 쪽의 변종으로 분류하기가
매우 어려운 경우도 많아.
너구리도
아닌
것이….
오리야?
너구리야?
저는 누구랑
놀아야 하나요?
?

한 가지 예를 들어 볼까?

나의 고마운 후원자 왓슨 씨는
하이.

일반적으로 변종으로
취급하지만
종
땅
땅
땅

식물학자들은 종으로 분류하는 영국 식물
182가지를 알려 주었지.
촤륵!
종의분류
182종

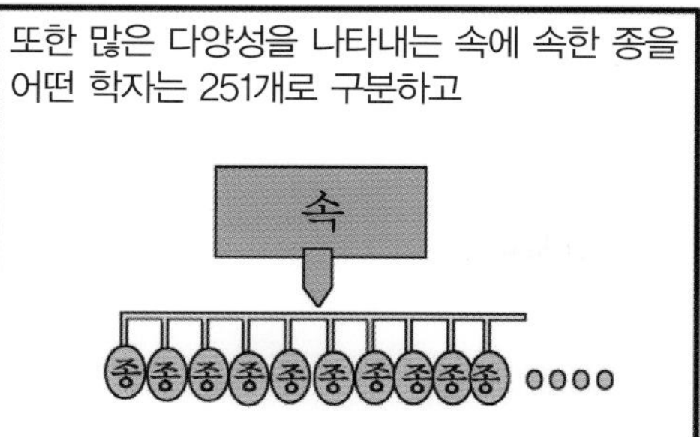
또한 많은 다양성을 나타내는 속에 속한 종을 어떤 학자는 251개로 구분하고
속
종 종 종 종 종 종 종 종 종 종
총 251개

어떤 학자는 112개로 구분하는 경우도 있었어.
속
종
112개

139종이나 차이 나는 것이지.
1 3 9
139종

새끼를 낳을 때마다 짝을 바꾸고
먹기나 해!
누가 우리 아빠야?

많이 이동하는 동물을 분류할 때
따뜻한 남쪽 나라로 출발!

한 나라 안에서는 학자에 따라서 종인지 변종인지 판단하는 것이 대체로 일치하지만
종
같은 종이 틀림없군요.

나라가 달라지면 학자들마다 서로의 의견이 다른 경우가 아주 흔하지.
변종 맞다니까 자꾸 그러시네.
모두 같은 종인걸요.
돌연변이 같은데.

서로 별 차이가 날 것 같지도 않은 북아메리카와 유럽에 사는 새와 곤충들이

학자에 따라서 어떤 것은 종으로 분류되기도 하고
그대를 종으로 임명하노라.
예썰!

어떤 것은 변종으로 분류되기도 하는 경우가 부지기수야.
너희들이 변종이구나!

일반적으로 종에서 변종을 구별하는 건
너! 나와 같은
종이야?

반드시 둘 사이를 잇는 중간쯤을 발견하거나
안녕!
브라더.
쉬이잉

둘 사이의 차이를 분명하게 알 수 있는 경우에만 가능하지.
재는 우리의
혈육이 아니야.
고마워.
동생들~

종이냐 변종이냐를 결정하려면
변종이
맞다니까!
종인데.

학자의 의견에 따를 수밖에 없어.
변종이 맞습니다.
맞고요….
그렇죠?

그러나 어떤 학자들은 변종으로 간주하는 반면
너무
실망하지
마세요.
너희는
같은 종이
아냐.

다른 학자들은 종으로 인정하기도 하지.
종일 확률이
99.9퍼센트!

따라서 흔히 다수결의 원리에 따르는 경우가 많아.
같은 종이
확실합니다.
수에서
밀리는걸….

여러 해 전 갈라파고스 제도에서 이웃한 여러 섬들의 새들을 서로 비교해 보고
작은 곤충
큰 곤충
나무 속 곤충

또 아메리카 대륙의 새와 비교해 보면서
파파팍!
섬나라 새들과
같은 것 같기도 하고.

종과 변종의 구별이 얼마나 모호한 것인가를 나 스스로 뼈저리게 느꼈지.
댁은 뉘슈?
이것들이 모두 같은 종인가? 아닌가?
나를 몰라!

내가 말하고 싶은 것은 종과 변종을 나누는 뚜렷한 기준은 없다는 거야.
변종
변종
변종
종
변종
변종
종
종

확실히 종과 아종* 사이에 명확한 경계는 없어.
러시아 사이가영양
아종
네가 아종이구나?
맞나?

또 아종과 뚜렷한 변종*.
형이라 불러!
뭔소리?

그리고 대수롭지 않은 변종과 개체의 차이에 대해서도 같은 말을 할 수 있지.
!
달리기 시합 한판 벌일까?

*아종, 품종, 변종 – 종 수준 이하의 다양성을 설명하는 용어. 아종은 하나의 종을 지리적으로 구분한 것이고, 품종은 종 내에서 일어나는 변이를 표현하는 것이며, 변종은 동일한 종 내의 다른 개체군을 의미함.

이런 차이들은 서로 연결되어
아주 미세하게 조금씩 변해.
저 녀석 언제 선수가 다 됐지?

연속성은 내겐 어떤 실제적인 진행 과정을 그대로 나타내는 것처럼 느껴져.
흠….
사람
원숭이
말

일반적으로 생물을 분류하는 학자들은 개체 간의 미미한 차이에는 별 관심을 두지 않고
저기요?

변하지 않은 공통적인 특성을 찾으려고 하지.
찾았다!

그러나 서로 다른 개체끼리의 차이야말로
개체
개체
차이
기우뚱

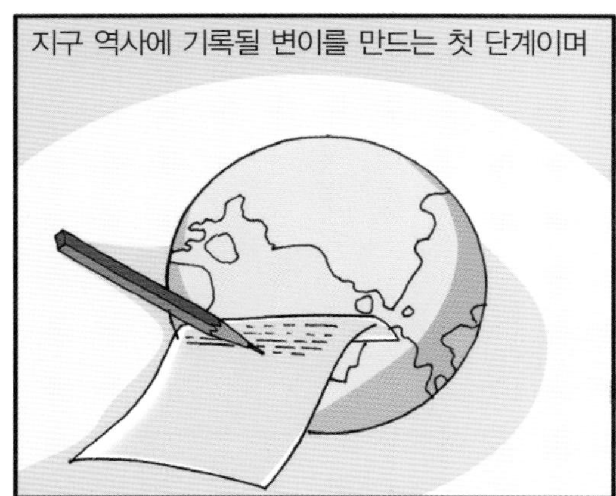
지구 역사에 기록될 변이를 만드는 첫 단계이며

이는 다시 변종과 아종 그리고
종으로 변해 가는 첫 발걸음이야.
트리로포돈
팔레오 마스토돈
메리세리움
코끼리의 진화과정

나는 다른 과학자들이 이미
연구를 많이 해서
열심!
열심!

많은 사실이 알려진
식물 몇 개 종을 골라

모든 변종을 도표로
그려 보았어.
식물 도표

여기에서 발견한 사실은 식물들이 분포하는 지역이 넓을수록

변종이 많다는 사실이었어.
너는 어디에 사는 변종이니?
멀리 살다 보니 생긴 게….

분포하는 지역이 넓으면 이들 식물이
처하는 조건이 다양할 수밖에 없고
여긴 우리 구역이야!
같이 먹고 살자!

다른 생물과의 경쟁도 치열하기
때문이지.
가까이 오면 어떻게 되는지 알지?
이크!

또 한 지역에 국한시켜
분석을 해 봤는데

개체수가 많을수록,

또 골고루 널리 퍼져 있는 종일수록
더 넓은 곳으로 떠나자.

변종이 많다는 사실도 알았지.

이것은 그런 종들이 그만큼 변종을 만들 가능성이 높다는 것을 의미하는데
새로운 종을 하나 더 만들자.
돼지감자

이들은 분포 지역이 넓고 개체가 많다는 특징이 있었어.

이것은 쉽게 예상되는 것이었지.
빙고!

왜냐하면 변종이 후대로 이어지기 위해서는 그 지역의 다른 개체들과 경쟁해야 하는데
절대 우리 영토를 내줄 수 없다.
여긴 우리가 3대째 살고 있어.

이미 우세한 위치를 확보한 종이 가장 자손을 많이 남길 가능성이 크며
아이고 예쁜 우리 아기들.
엄마, 정말 우리가 예뻐?

이들이 다소 변형된다 해도
아휴~ 좀 쉬어 가자.
앵~

그 지역에서 이미 우세한 힘을 가진 부모의 이점을
아~ 편하다.

물려받기 때문이지.
탁!
까악! 왕벌 살려~

그러나 이러한 설명은 서로 거의 비슷한 생활 습성을 가지고 있어서
자연 상태에서는 경쟁하며 사는 거야.
여긴 우리가 먼저 살고 있는데.

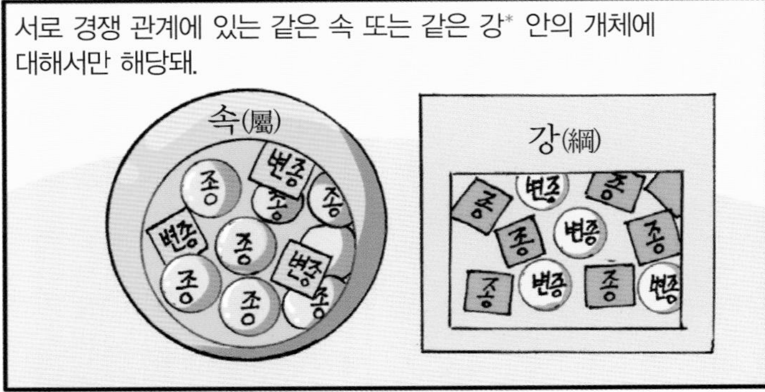
서로 경쟁 관계에 있는 같은 속 또는 같은 강* 안의 개체에 대해서만 해당돼.
속(屬)
강(綱)
종
변종

*강(綱) – 생물 분류의 한 단계로 문(門)과 목(目)의 중간에 위치.

즉 물 속에서 어떤 녹조류가

다른 고등 식물보다 개체수가 더 많고 널리 분포되어 있다고 해서
흐흐… 송어 씨 어딜 가시나.
녀석들 까불긴….

이들이 고등 생물보다 우세한 종이라고는 할 수 없겠지.
완전 무시하네.

종은 특징이 매우 뚜렷하고 쉽게 구별할 수 있는 변종이라는 관점에서 보면
하이~ 뚱땡아.
홀쭉이구나.

큰 속에 속한 종은 작은 속의 종보다 변종을 훨씬 많이 생산할 것으로 예상할 수 있겠지.
속
와르르
딸랑!
속
와~ 변종 친구들도 꽤 많네.
이런, 나만 변종….
종
변종

예상을 했으면 항상 그 예상이 맞는지 검증을 해 봐야겠지?
척

그래서 나는 열두 나라의 식물을
12 개 나 라

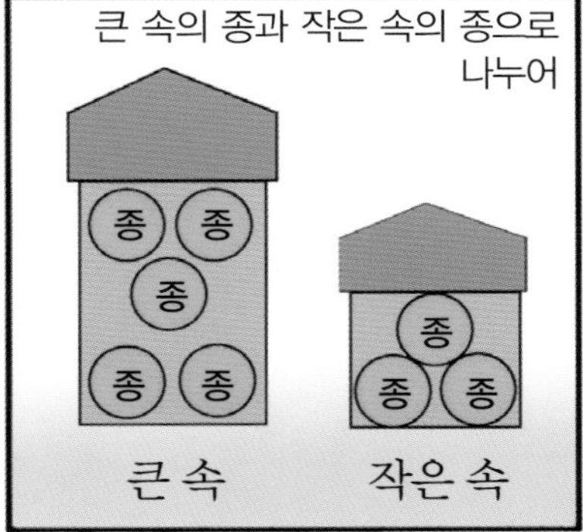
큰 속의 종과 작은 속의 종으로 나누어
종
큰 속
작은 속

큰 속의 종과 작은 속의 종에서
변종이 나타나는 비율을 살펴보았지.
변종
손 들어요.
저요!
저요!

그랬더니 큰 속의 종이 작은
속의 종보다
자기가 속한 종 앞에
일렬로 모이세요.
우루루..

변종을 낳는 비율이 높았어.
속
종
속
종
수에서
밀린다.
와아!
우리가
훨씬
많다.

이러한 현상은 딱정벌레들에서도
나타났지.
넌 도대체
누군데 변종같이
생겼어?
나도
딱정
벌렛과야.

그뿐만 아니라 큰 속의 종으로 변종을
낳는 것은 항상
속
종
속
종
변종
내가 속한 종은
정말 크구나.

작은 속의 종보다도 평균적으로
많은 변종을 낳는다는 사실도
확인했지.
척
위의 그림을
보면 알 수
있겠지?

큰 속의 종과 변종 사이에는 그 밖에도
주목할 만한 관계가 있었어.
나는 큰
속에 속한
종이야.
어~ 나도
큰 속에 속한
변종인데….

종과 특징이 뚜렷한 변종을 구별하는 절대적인 기준은
없다는 것은 이미 말했으니 알고 있겠지.
우리가
특징이
없어요?
풀노린재
기준이…?
노린재 1종

학자들은 일반적으로 의심스러운 것들 사이에서

중간적인 연결이
발견되지
않을 경우
변
종
?
종

그들 사이에서 찾아볼 수 있는
차이의 양에 따라 차이가 많으면
종의 위치에
올려 주고
종
척!

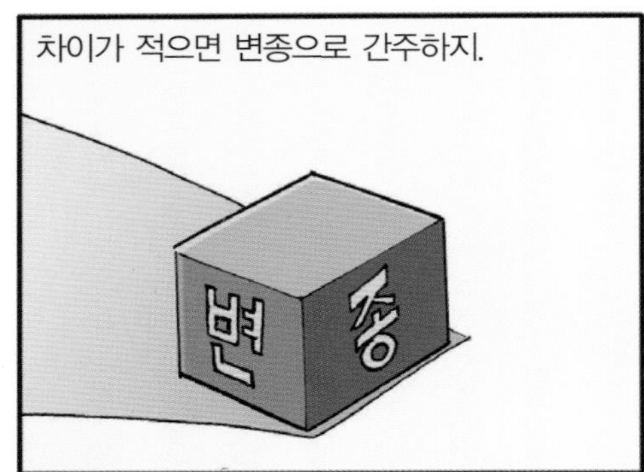
차이가 적으면 변종으로 간주하지.
변 종

그래서 차이의 정도는 두 종류의 생물을 종으로 분류하느냐
우리가 같은 종인지 알려 줘요.
흠
저 녀석이 자기를 형으로 부르래요.
흰부리딱따구리
까막 딱따구리

변종으로 분류하느냐를 결정하기 위한 지극히 중요한 기준이 되어 버리지.
너는 너고, 나는 나야.
우리 같은 종이 아니래.

그런데 식물과 곤충의 세계에서는
식사 중인데 왜 그래요?

큰 속에서는 종과 종 사이의 차이가 지극히 적어.
큰 속
별 차이 없는데.
그렇지?

큰 속에 속하는 종들은 여러 면에서 변종들과 비슷해.
모두 변종같이 생겼지?
개성들이 없어… 쯧쯧쯧.

과거에 변종의 위치에 있던 것이 종으로 변했다고 한다면 이들이 비슷한 이유를 이해할 수 있지.
한 가문을 열었구나.
반짝 반짝
내 새끼들은 새 성(姓)을 따를거야.

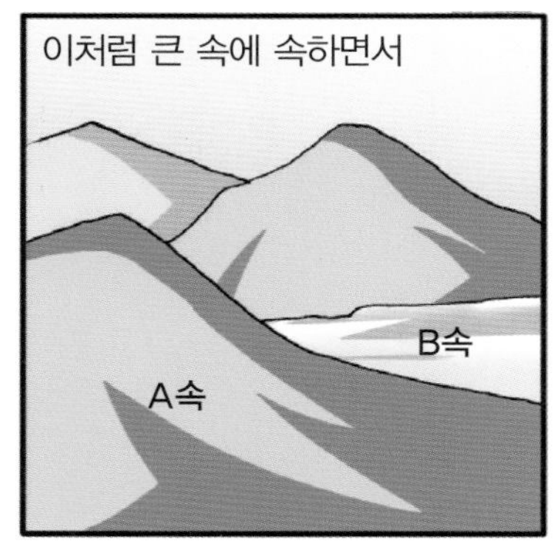
이처럼 큰 속에 속하면서
B속
A속

가장 번성하거나
우애애앵
메뚜기 떼 습격이다.

우세한 종이
우린 끄떡 없어.
후아~ 덥다.

가장 많은 수의 변종을 만들며
우리도 어서 자라나서 독립해야지.
녀석들.
아우~ 귀여운 우리 아기들.

변종들은 새로운 종으로 바뀌는 경향이 있다고 할 수 있지.
종으로 임명 합니다.
와! 드디어 독립했다.

이러한 과정을 통해 한 집안이 커 가면
속
꿈틀..
꿈틀..

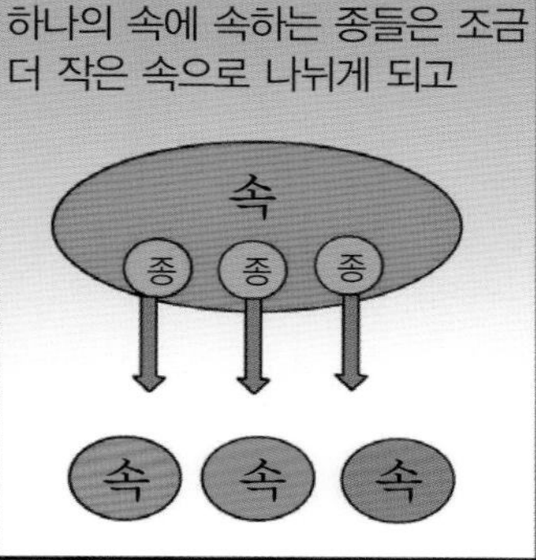
하나의 속에 속하는 종들은 조금 더 작은 속으로 나뉘게 되고
속
종 종 종
속 속 속

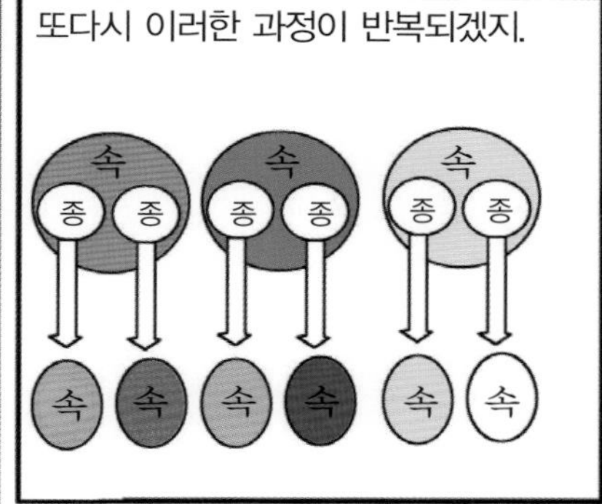
또다시 이러한 과정이 반복되겠지.
속 속 속
종 종 종 종 종 종
속 속 속 속 속 속

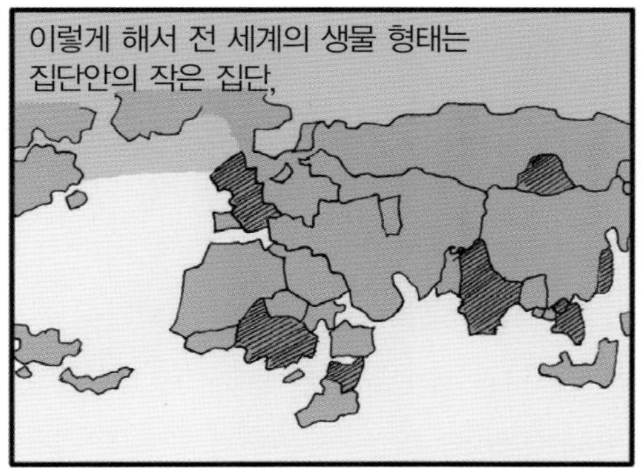
이렇게 해서 전 세계의 생물 형태는 집단안의 작은 집단,

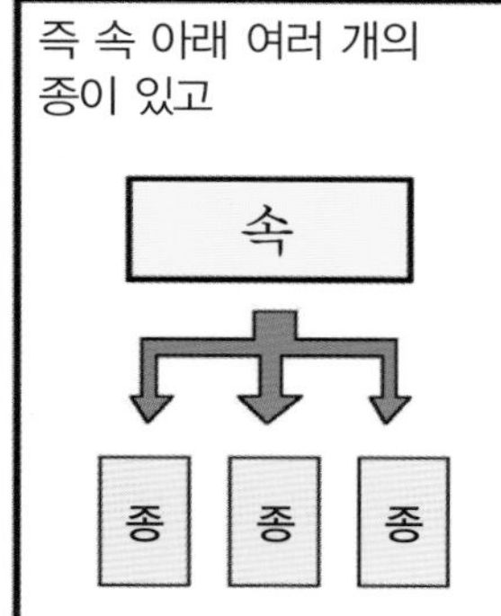
즉 속 아래 여러 개의 종이 있고
속
종 종 종

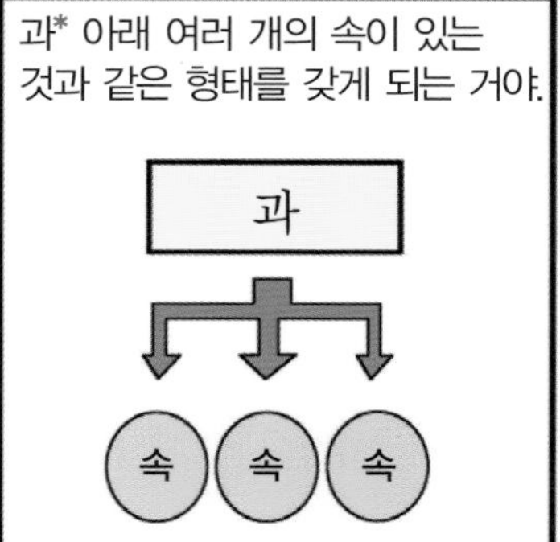
과* 아래 여러 개의 속이 있는 것과 같은 형태를 갖게 되는 거야.
과
속 속 속

*과(科) – 린네의 계층 분류에서 목과 속의 중간에 위치.

결론적으로 과거의 변종이었던 것이 현재의 종이 되고
변종아!
쓰~
종

현재의 변종은 새롭고 뚜렷한 종으로 변해 가는 경향이 있다고 말할 수 있지.

이러한 모든 점에서 큰 속의 종은 변종과 아주 비슷해.
만약 각자의 종이 독립적으로 창조된 것이라고 믿는 사람들은 이들이 닮은 이유를 설명할 방법이 없을 거야.

종과 린네의 이명법

핀치의 교훈

다윈은 종과 변종, 아종 사이의 경계를 허물고 있는데, 다윈이 이를 통해 독자들에게 말하고 싶었던 것은 종이 변종에서 발달한다는 사실이야. 다윈은 이러한 생각의 기초를 세계 여행 동안 갈라파고스 제도에서 관찰했던 핀치라는 새에서 얻었어. 다윈은 갈라파고스 제도의 여러 섬들에서 사는 핀치들이 조금씩 다르다는 사실을 놓치지 않았지.

그는 영국으로 돌아와 그 새들의 표본을 조류학자였던 굴드에게 보냈는데, 굴드는 다윈에게 그 새들은 변종이 아니라 서로 다른 종이라고 했지. 그 순간 다윈의 머릿속에는 동물들, 어쩌면 모든 생물들이 느리지만 연속적인 변화를 겪는다는 사실이 분명해졌다고 해. 아주 오랜 시간이 흐른 다음에 갈라파고스 제도의 핀치들처럼 서로 분리된 동물들은 서로 다른 종이 될 가능성이 다윈의 머리에 그려진 거지.

린네의 공헌

종에 대한 개념을 체계화시킨 사람은 다윈보다 102년 먼저 태어난 스웨덴의 식물학자 린네야. 생물의 구조적인 차이를 가지고 종을 구분했어. 린네의 분류법은 아직도 종을 구분하는 데 쓰이고 있을 정도로 훌륭해. 그러나 이 방법이 완벽한 것은 아니어서 다윈이 말한 것처럼 종이 확실히 구분되지 않는 경우도 많았어. 그런데 다윈이 죽은 후에 유전학이 발달하면서 생물들은 짝짓기나 가루받이 같은 생식 과정을 통해서 자손을 남길 수 있는 것을 기준으로 종을 구분하는 방법이 발전했지.

린네는 비록 유전학을 몰랐지만 구조적인 차이를 세밀하게 분석하여 종을 구분하였고, 더 나아가 공통점이 많은 종들을 그보다 조금 큰 단위인 속(屬)으로 묶었어. 그리고 몇 개의 속을 묶어서 과(科)를 만들고, 다시 몇 개의 과를 묶어서 목(目)을 만들었어. 그 위로는 다시 강(綱), 문(門), 계(界)라는 분류 단위를 두었어. 즉 린네는 '종–속–과–목–강–문–계'로 이루어진 자연의 체계를 만들어 낸 거야.

그리고 린네는 각 종에 이름을 지어 주었는데, 린네가 창안한 이름 짓기 방법을 이명법(二名法)이라고 해. 모든 종의 이름을 대문자로 시작하는 속의 이름과 소문자로 시작하는 종의 이름을 조합한 두 개의 이름으로 지었기 때문이지. 그리고 종의 이름이 세계 어디에서나 통용되도록 당시 유럽 학계의 공용어인 라틴어를 이용했어. 사람들은 이제 생물에 대해서 의사소통의 수단을 갖게 되었고, 진정 객관적인 생물학 연구는 린네 이후에 시작되었다고도 할 수 있어.

	인간을 예로 들면
계	동물계
문	척삭(척색)동물문
강	표유강
목	영장목
과	인과
속	인속
종	사람 Homo sapiens

제5장 생존 경쟁

지구에 사는 수많은 생물들은 도대체 어떻게 환경에 적응해서 이토록 완성된 모습으로 존재할까?
!
슬슬 나가 볼까?
밥이다.
헉!
개골

딱따구리는 겨우살이 나무와 서로 잘 적응하고 있고
딱
딱
그만 숨고 나와!
독하다.

동물의 털이나 깃털에 붙어 사는 작은 기생충도
알았어.
구석구석 잘 잡아 줘.

그 환경에 잘 적응하고 있으며
아~ 좀 먹자.
벼룩아, 피해!

산들바람에 날리는 씨앗도
좋은 곳에 뿌리내려….

멀리 날아가게끔 깃털이 달려 있는 등 아주 잘 적응되어 있지.
바람아, 우리를 기름진 땅으로 인도해 주렴.

즉, 모든 생물은 자기 환경에 아주 훌륭하게 적응하고 있는 거야.
여기에 정착하자.
하이.
앗! 경쟁자다.

그러면 종의 시작인 변종은
웬 점이 그리도?
우아~ 변종이다.

어떻게 새로운 어엿한 종으로 변하는 것일까?
종으로 인정하라!
이제 인정해 주시죠.

여기에 대한 답은 다음 장에서 더욱 자세히 설명하겠지만
다음 장이 기대된다.

한마디로 생존하기 위한 경쟁의 결과로 생겨났다고 할 수 있지.
내가 먼저 봤어. 내 거야!
내가 따 왔으니까 당연히 내 거지.
내 건데 ….
경쟁이 너무 치열하다.

이 생존 경쟁에 의해 발생하는 변이는 아무리 사소한 것이라 할지라도
팍
남들보다 앞서야 생존할 수 있어.
와 멋져~

어떻게 발생했든 간에
땅속에서 살면 먹이를 안심하고 먹을 수 있지.
프레리독

그 한 개체에 이익을 주는 것이라면
옆동네로 오니 훨씬 낫다.
캥거루류

그 개체는 보존될 것이고 자손에게도 이어질 거야.
물 속으로 둥지를 옮겨야지.
비버

그 자손 또한 이와 마찬가지로 생존의 기회를 더욱 많이 가질 수 있게 될 거야.
맛있다.
강가로 이사 오니까 좋지?
우리 엄마 최고!

왜냐하면 어느 종이나 주기적으로 많은 자손이 태어나지만
바다가 코앞이다.
달려라, 달려!

그중 얼마 안 되는 숫자만이
으악! 뒤집혔다!

살아남기 때문이지.
살았다!

아무리 사소한 변이라도 유익하기만 하면 보존된다는 이 원리를
요 녀석이 나를 보지 못하네.

인간의 선택 능력과 구별하기 위해 나는 자연선택이라는 단어를 쓰려고 해.
야성이라곤 통 없네.
니야옹~
으아함~

어쩌면 허버트 스펜서가 처음 쓴

적자생존이라는 표현이
강한 자만이 살아남는 거야. 흐흐흐~
살려 주세용!

조금 더 정확할 수도 있고 때로는 더욱 편리하기도 하지.
넘버 투냐! 쓰리냐!
나는 맨밑.
넘버 원이야!
무슨 소리~ 내가 넘버 원이래두!
우리만 불쌍해!

인간은 선택에 의해 큰 성과를 거둔다는 것, 즉 자연에 의해 부여된 유익한 변이를 계속 누적시켜 가면서
마리아에게 내 마음을 전해 줘.
네 주인님.
찰스에게서 온 편지요.

생물을 자기의 용도에 맞게 적응시켜 나간다는 사실은
드디어 마리아가 청혼을 수락했어.

이미 3장에서 말했지?
제 1 장
기르는 동식물에서 생기는 변이

그러나 자연선택은, 나중에 설명하겠지만, 언제라도 작용할 수 있는 준비가 되어 있는 힘이며

인간의 능력과는 비교할 수 없을 정도로 엄청 큰 힘이야.

생존을 위한 보편적인 경쟁이 진리라는 사실을 이론상 인정하는 것은 쉽지만
깜짝이야!
크악!
이리 와! 잘해 줄게.

이 결론을 항상 마음에 간직하는 것은 쉬운 일이 아니야.
내 거야.
내 뼈다귀라니까!

이 결론이 우리 사고방식의 곳곳에 스며들지 않는다면
도대체 이해할 수가 없네!

자연계의 체계를 제대로 이해할 수가 없어.
왜 싸우냐?
크르릉
니야옹

우리는 자연을 마음껏 누리지.
짹
생존 투쟁! 그런 게 뭐야? 나는 몰라. 아, 좋다.
짹

남아돌 정도로 풍부한 음식을 즐기기도 하고.
꺼억! 잘 먹었다.
나는?

그러나 우리는 새들이 곤충이나 열매를 먹음으로써
나도 어서 나비가 돼야지.

생명을 끊임없이 죽이고 있다는 사실은 망각하고 있어.
에고~ 피지도 못한 내 인생.
짹
짹

또 다른 한편으로 이들 새들이
크크. 귀여운 것들….
누… 누구세요?

다른 새나 육식 동물에게 얼마나 많이 잡아먹히고 있는가도 망각하고 있지.

그리고 요즘은 음식이 남아돌지만

앞으로도 계속 그렇지는 못하리라는 것을
이상 기후

지금은 생각하지 못하고 있지.
한 마리도 잡히질 않는구나.

내가 말하는 생존 경쟁은 개체가 생명을 유지하는 것뿐만 아니라

자손을 남기는 것까지 포함하는 개념이야.
덩치로 밀어붙이는 거야.
침이나 삼킬 뿐….

생존 경쟁의 양상은 아주 다양하게 나타나.
사막

굶주린 두 마리 곤충이
한번 해 보자 이거지?
절대 양보 못해!

한정된 먹이를 차지하려면 반드시 서로 싸워야 해.
이때다 도망치자.

그리고 사막에 돋아 있는 한 그루의 식물도
인내는 쓰나 그 열매는 달다….

생존하기 위해 건조한 기후와 투쟁한다고 말할 수 있어.
엄마! 숲으로 이사 가요!

해마다 1,000개의 씨앗을 만들지만
많을수록 대를 이어 갈 확률이 높아.

그중 한 개만이 뿌리를 내리는 나무는
식량이다.
나 혼자만이 뿌리를 내렸구나.

이미 땅에 무성하게 자라고 있는 같은 종의 식물들과 처절하게 경쟁하는 거야.
비켜! 좁아.
나도 껴 줘!

겨우살이는 여러 종류의 나무에 의존하며 살아가는데

그것은 결국 이러한 나무들과 경쟁하는 거라고 볼 수 있지.

한 나무에 겨우살이가 너무 많이 붙어살면
좀 떨어져. 답답해 죽을 것 같아.

그 나무는 시들어 죽어 버리기 때문이야.
꼴깍.
다른 나무로 옮기자.

그런데 겨우살이는 새들이 종자를 퍼뜨려 주기 때문에
이 나무에 다시 뿌리 내리자.
새 똥에 웬 씨!

자신 또한 새들에게 의존하고 있다고도 할 수 있지.
친절한 새야. 내 열매 많이 먹어.

그래서 비유적으로 말한다면

새를 유혹해서 열매를 먹게 한 다음 종자를 퍼뜨리기 때문에
너는 왜 새를 반겨?
새들아! 맛있는 열매들이 여기 가득 있어!

다른 열매를 맺는 식물과 경쟁하고 있다고 말할 수도 있어.
저 새들이 우리 자손들을 넓게 퍼뜨려 줄 거야.

이러한 모든 것들이 생존 경쟁 혹은 생존 투쟁이라고 할 수 있지.
우리 열매는 피부 미용에 정말 좋아. 어서 와!
우리는 건강에 좋아. 이리 와!

생존 경쟁을 피할 순 없을까?
탁 탁 탁..

피할 수 없어.
경쟁
쿵

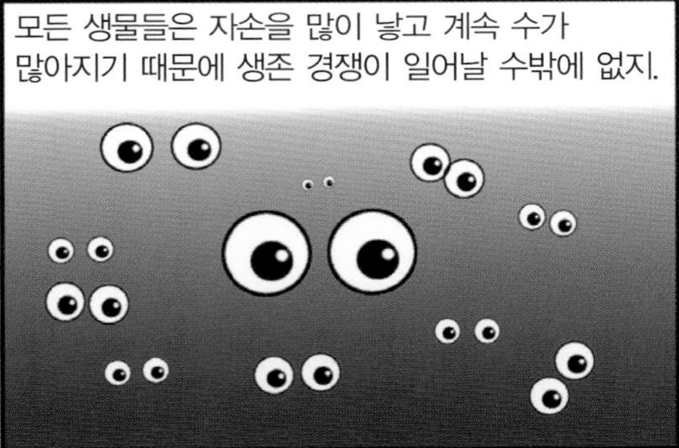
모든 생물들은 자손을 많이 낳고 계속 수가 많아지기 때문에 생존 경쟁이 일어날 수밖에 없지.

알이나 씨앗에서 태어난 모든 생물들은

다시 알이나 씨앗을 낳고 모두 때가 되면 죽어야 해.
이제부터는 네 세상이란다.

그렇지 않으면 그 생물의 수가 기하급수적으로 불어나 문제가 될 거야.
와글 와글

그렇게 되면 지구가 감당할 수 없겠지.
더 이상 견디기 힘들어.

이렇듯 살아남을 수 있는 것보다 많은 개체가 생겨나기 때문에
배고파!
밥 줘!

모든 생물은 같은 종에 속하는 다른 개체나 다른 종에 속하는 개체들과 경쟁할 수밖에 없고
경쟁자들!

물리적 생활 환경에 대해서도 생존 경쟁을 벌일 수밖에 없어.
풀잎 같아 보이지?

이처럼 생존 경쟁이 일어나게 되는 주된 원인은 모든 생물이 자손을 많이 낳기 때문이야.
엄마 배고파!
내 먹이야.
나 갖고 너무해.
크릉!

개체들은 같은 종이나 다른 종들
못해!
내놔.

그리고 생활 환경과도 생존 경쟁을 벌여야 하는 것이지.
꺼져!
여긴 내 자리.

이것은 내가 맬서스의 이론을 전체 동물계와 식물계에 적용한 거야.
인구는 기하급수적으로 늘어나는 반면 식량은 그렇지 못해서 경쟁이 생기지.

모든 생물은 매우 빠르게 증가하기 때문에 만약 죽지 않는다면
증가

단 한 쌍의 자손만으로도 지구는 금방 가득 채워지고 말 거야.
와글
와글..

린네의 계산에 의하면

일년생 식물이 단 두 개의
씨앗을 낳고

그 싹이 자라 다음 해에 또
두 개의 씨앗을 낳게 된다면

20년 동안에 100만 그루의 그 식물이
생긴다고 해.
우와~
엄청난
번식.

물론 실제로는 이보다 훨씬
많은 수의 씨앗을 만들어 내지.

코끼리는 가장 번식이
느린 동물에 속하는데
제가 뭘요?

나는 코끼리의 자연적인 증가율은 되도록 낮게
잡아서 코끼리가 얼마나 많아질 수 있는지
계산해 보았어.
자,
시작.
얼마나
많아져요?

코끼리가 서른 살에 새끼를 낳기
시작해서 이후 90살까지
여섯 마리를 낳고
늦둥이들이
더 귀여워!
우리도
빨리 크자.

100살까지 산다고 가정해
보면 740~750년 뒤에는
이런
신경통
온다.
계산을
해 보면.

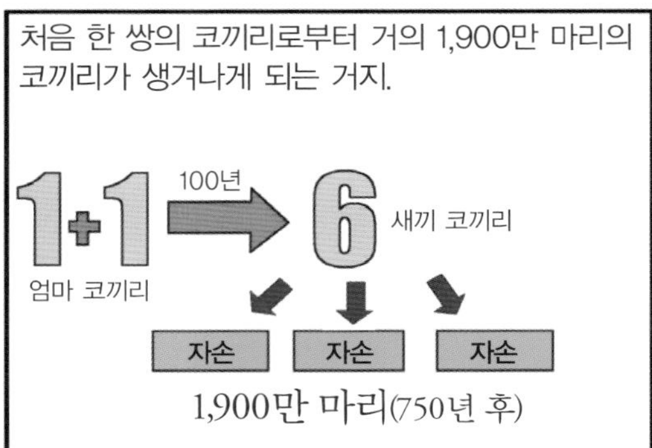
처음 한 쌍의 코끼리로부터 거의 1,900만 마리의
코끼리가 생겨나게 되는 거지.
1+1
엄마 코끼리
100년
6
새끼 코끼리
자손
자손
자손
1,900만 마리(750년 후)

식물도 마찬가지야.
저 섬에
터전을 잡자.

외부에서 섬에 처음 유입된
식물이
와~
신선하다.

10년이 채 못 되어 온 섬 안에 퍼진 예는
얼마든지 있어.
이 섬은
이제 우리
자손들의
땅이다.

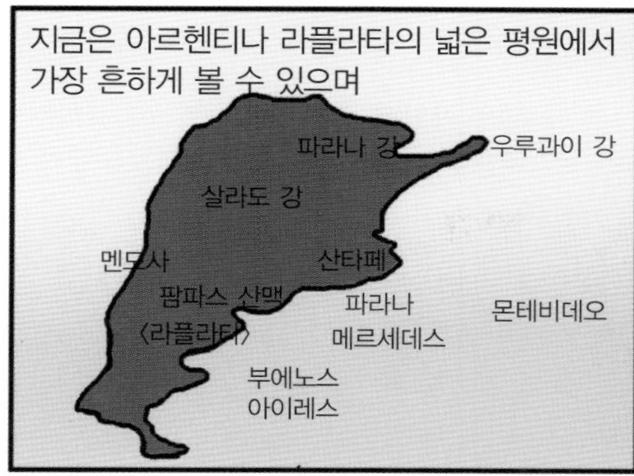
지금은 아르헨티나 라플라타의 넓은 평원에서 가장 흔하게 볼 수 있으며
파라나 강
우루과이 강
살라도 강
멘도사
산타페
팜파스 산맥
파라나
몬테비데오
〈라플라타〉
메르세데스
부에노스
아이레스

넓은 땅을 뒤덮고 있는 엉겅퀴 같은 식물은

유럽에서 들어온 지 얼마 안되지!
굴러 들어온 돌이 우릴 쫓아내.
여기가 훨씬 살기 좋군.

자연 상태에서는 거의 모든 식물이 씨앗을 낳고
나는 사시나무 씨앗.

동물들은 거의 해마다 짝짓기를 하지.
내 짝이야!
빡!
퍽!
이 몸의 인기는 식을 줄 모르네.

그래서 나는 확신을 가지고 다음과 같이 말할 수 있어.
100 퍼센트.
척

첫째, 모든 동식물은 기하급수적으로 증가하는 경향이 있다.

둘째, 생존할 수 있는 장소라면 어디든 그곳을 급속하게 가득 메운다.
어휴~ 나도 좀 살자.
담쟁이 넝쿨

셋째, 기하급수적 증가 경향은 생애의 어느 시기에 가서는 파괴에 의해 제한당한다.

풀머갈매기는 알을 한 개밖에 낳지 않지만
맘마, 맘마.
귀한 우리 독자 갈매기.

전 세계에서 가장 수가 많은 새로 알려져 있어.

또 어떤 파리는 알을 수백 개 낳는데
이파리라는 파리는 단 하나만 낳아.
너는 가족 계획도 없니?
이 정도는 낳아 놔야 안심이지.
이파리 (hippobosca)
앙 앙

알을 많이 낳을수록 종이
번성할 것 같지만
언제적 소릴~!
자식이 재산인 거 몰라?
잉잉~

실제로는 알을 얼마나 많이
낳느냐가 지역에서 그 개체들이
얼마나 생존하느냐를 결정하지는
않아.
쩝
쩝
아이고 내 알들~
나야 고맙지.

단지 알이나 씨앗이 수가 많다는 것은 다음에 그 종이
대량 죽을지도 모르는 사태를 대비할 뿐이지.
으악~ 살충제야.
바아앙
파리 떼 살려!
앵~

그런데 대량으로 죽는 경우는 대부분
어릴 때 발생하기 때문에
맛있는 알이 엄청 많네….
회식이다~

어떤 동물이 알이나 어린 새끼를 잘 보호할
수만 있다면 자손을 적게 낳아도 세대를
이어 갈 수 있겠지.
더 이상 가까이 오면 가만 안 둬!
엄마 힘내세요.
얘들이 귀여워서 그래. 쩝~

중요한 것은 평균 개체수를
유지하느냐의 문제야.
흐흐흐 어서 와.

알이나 새끼들이 많이 죽으면
일단 많이 낳아야겠지.
찍
찍
일단 많이 낳고 보자.

그렇지 않으면 그 종은 멸종할
테니까.
요새 쥐들이 통 안 보여.

결국 어떤 경우든 알이나
씨앗의 수는

동식물의 평균 개체수에 직접적인
영향을 미치지는 못해.
뛰엇!
우루루..

우리가 자연을 관찰할 때
명심해야 할 것은

모든 생물은 수를 늘리려고 노력한다는 거야.
별일없지?
형님도
잘 지내?

각각의 생물은 일생 동안 내내 경쟁을
함으로써 생존해.
어쭈?
한판 할까?

우리의 생물계를 지탱하는 지구는 이 모든 개체를 다 수용하고
생존시킬 수 있기 때문이지.

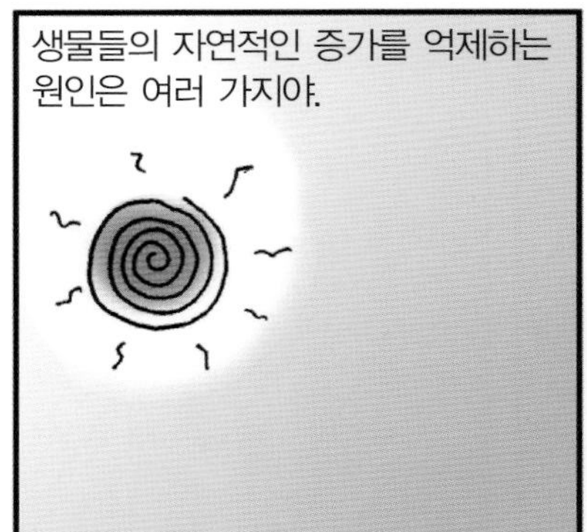
생물들의 자연적인 증가를 억제하는
원인은 여러 가지야.

우선 먹이의 양이 한정되어
있어.
엄마!
배고파.
가 보자.
다 말랐어.

그리고 생물은 자기가 살아가기 위해
다른 생물을 잡아먹어야 해.
옳지!

가끔은 그 종이 다른 동물에게 얼마나 잡아 먹혔는지가
힘들 텐데 그만
쉬어 가지?
너라면
쉬겠니?

더 큰 영향을 미치기도 하지!
엄마 없이
이 녀석들을
어찌 키울꼬….
아빠 왜?

그래서 산토끼 같은 동물들은
뻥
이야아!

생명을 위협하는 동물이 얼마나 되느냐에 따라
얘들아
나도 껴 주라.
흐흐흐~

그 수가 결정되지.
아저씨 내 친구
못 보셨어요? 배가
많이 나오셨네.
신경 쓰지 말고
계속 놀자. 히~

기후도 종의 평균적인 숫자를 결정하는 데 중요한 역할을 해.
으아~
덥다.
말라
죽는다.

평균적인 기후보다 가끔 일어나는 극심한 추위나 더위가 더 큰 영향을 미치는 것 같아.
우르릉

어느 겨울 심한 한파가 몰아치자
에취!

내가 사는 집 주변의 새들이 80퍼센트 가량 죽어 버렸다는 것을 알고는
에고~ 하늘도
무심하지.

겉으로는 조용한 자연이
개미 떼가
대이동하면
날씨 변화가
오는 거야.

가공할 만한 대량 학살의 힘을 숨기고 있다는 것을 느끼고 섬뜩했지.
우아~
해일이다.

기후 때문에 먹이가 부족해지는 경우
뭐야.
썩은 고기는
내 주식인데.
배고픈데
썩으면 어때?

같은 종류의 먹이를 먹고 사는 동물들끼리는 경쟁이 더욱 심해지겠지.
어쭈! 니가 겁을 상실했구나.
자칼
썩은 고기는 다 내 거야. 내놔!
하이에나
명함도 못 내미네.

그 와중에 몸이 약하거나 먹이를 조금밖에 얻지 못한 개체들은
으르렁
크앙
힘센 애들끼리….

그 경쟁에서 낙오될 수밖에 없을 거야.
아~ 자꾸 졸린다. 좀 쉬어 가야지.

적응력이 떨어진 개체는

매서운 자연의 공격에 죽어 없어질 수밖에 없단다.
푸닥
그만 좀 뜯어!
내가 더 먹을 거야.
좀 비켜!

전염병도 종의 증가를 방해하는 중요한 요인이야.
더러운 곳이라면 어디든 환영이지.

한 종이 살고 있는 환경이 아주 좋으면 좁은 장소에 그 수가 지나치게 늘어나겠지.

그러면 전염병이 잘 생겨.
너 왜 자꾸 긁어?
득
득

서로 가까이 있으니까 전염이 잘 되겠지.
아이고 가려워~
나도.
왜 이렇게 가려운 거야.

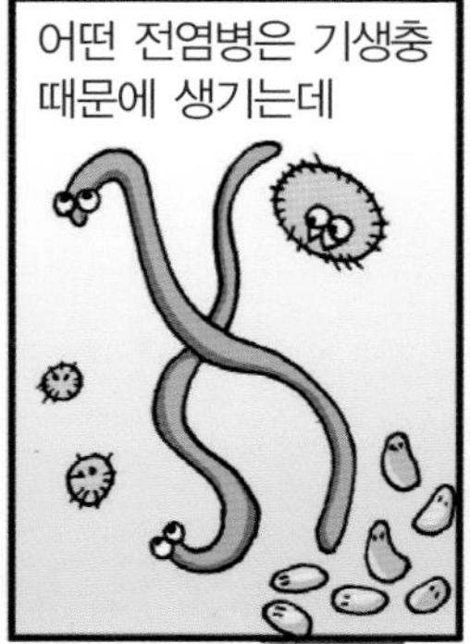
어떤 전염병은 기생충 때문에 생기는데

이런 기생충들은 동물들이 밀집된 곳일수록 쉽게 많아지지.
찍
찍

동물이 밀집해 있으니 퍼지기도 쉽고
이놈들이 오고부터 몸이~

수도 빨리 불어나겠지.
오~ 군침.

이런 상황에서는 기생충과 숙주* 사이에 일종의 생존 경쟁이 일어나게 돼.
온몸이 이상해졌어.
나도.
박쥐를 먹고부터 열이 나네….

*숙주 – 기생충이 기생하는 대상. 사람은 회충의 숙주가 된다.

어떤 생물이든 일생을 살아가면서 다양한 방해 요인을 만나게 되지.
저는 냄새도 나고 맛도 없어요.
괜찮아.
힘내요!
다다다

대개는 한두 가지 방해 요인이 가장 중요하지만 모든 방해 요인이 함께 작용해서
으악!
그냥 잡혀 주지.

가끔은 종의 생존 자체를 결정하기도 해.
내 인생도 여기까지인가?

같은 지역에서 서로 경쟁해야 하는 생물들의 관계는 굉장히 복잡해서 쉽게 예측할 수가 없어.
와우~ 정말 복잡하다.

언뜻 보기에는 멀리 떨어져 있어서 서로 아무런 관계가 없다고 생각할 수 있는 식물과 동물조차도
하이~ 잘 지내지?
잰 처음 보는데….

복잡한 그물처럼 얽혀 있단다.
하나씩 풀어 볼까?

팬지나

붉은토끼풀과 같은 식물은
멀리까지 날아온 보람이 있군.

수정하려면 반드시 호박벌이 있어야 해.
꿀 많이 먹고 네 씨앗을 퍼뜨려 줄게.

다른 벌들은 이 꽃이나 꿀이 있는 곳까지 오지 않기 때문이지.
안녕! 잘 가.

그러므로 내가 살고 있는 영국에서

호박벌이 모두 없어지면 팬지나 붉은토끼풀도 함께 사라지고 말 거야.

그런데 어떤 지역의 고양이가 많고 적은가에 따라서
저… 저요!

그 지방에서 피는 꽃의 종류가 달라진다고 하면 이해하겠니?
쥐도 새도 모르게….

고양이와 꽃은 아무런 관련이 없기 때문에 엉뚱하게 들릴 수 있지만 사실이야.
궁금하지?
얘들이 왜 이 난리야?
빨리 쥐 좀 잡아 줘!
게으른 고양이야.

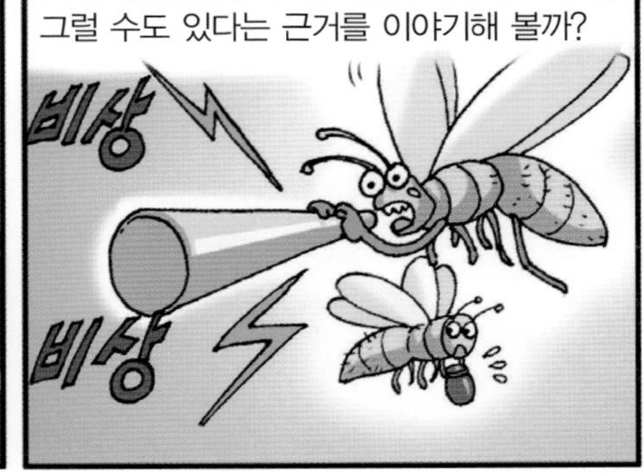
그럴 수도 있다는 근거를 이야기해 볼까?
비상
비상

호박벌의 개체수는 들쥐의 수에 좌우돼.
너무 달콤한 거 있지…!

왜냐하면 들쥐가 호박벌의 벌집을 파괴하기 때문이지.
아이고~ 평생 모아 온 우리 것을 다 먹어 치우네.

또한 고양이는 쥐를 잡아먹으니까
냐야옹

들쥐 수는 당연히 고양이의 수에 따라 달라지겠지.

실제로 호박벌의 벌집은 고양이가 많은 시골 마을에서 발견되지.

따라서 어떤 지역의 고양이가

대단히 많으면 쥐의 수에 영향을 미치고
나와서 같이 놀자~ 응?

쥐는 호박벌에 영향을 미치고

호박벌은 꽃에 영향을 미치기 때문에

그냥 보기에는 전혀 관련이 없어 보이는 고양이와 꽃이 서로 관련되어 있다고 할 수 있지.

우리는 구불구불 휘어진 강가를 뒤덮고 있는 수풀을 보면서

그 식물들의 종류와 수가 우연히 결정되었다고 생각하기 쉬운데

이는 전혀 잘못된 생각이야.
절대 아니지!

언젠가 미국의 한 지역에서 숲에 있는 나무를 전부 베어 버렸는데

지금은 그 숲에도 주위의 삼림과 똑같이 다양한 수목이
우거져 있지.

그동안 해마다 수천 개의 씨앗을 뿌리는 온갖
종류의 나무들이

얼마나 치열한 경쟁을 했겠어? 또 곤충과 새와 온갖 동물들은
나무와 나무의 씨앗들을 서로 먹으려고 얼마나 경쟁을 했겠고.

한 줌의 깃털을 던져 봐.

모두 일정한 법칙에 따라 땅에
떨어지겠지.

이 법칙을 알아내기란
쉽지 않을 거야.

그런데 몇 세기에 걸쳐 고대 인디언의 유적에서 자라나는

나무의 수와 종류를 결정해 온

수없이 많은 동물과 식물들의

작용과 반작용에 관련된 법칙에 비하면 단순할 거야.
소리 없는 전쟁이지!

하나의 생물이 다른 생물에 의존하는 현상은
어휴! 숨 막혀.
내 열매를 비옥한 땅에 뿌려 줘.

자연계에서 서로 멀리 떨어져 있어도 나타나.

그러나 메뚜기와
왜요?

초식 동물의 경우처럼 서로 생존 경쟁을 벌이는 경우는
?
저리 가!

같은 종이나 변종 사이에서 가장 심하지.
켁!

이들은 먹이, 사는 공간 등의 생활 습관이 서로 비슷하기 때문에
이제 그만 먹고 잠 좀 자라. 넌 잠도 없니?

제한된 자원을 놓고 격렬하게 경쟁하지.
껴억~
실컷 먹었으니 이제 눈 좀 붙일까.
식량을 완전히 초토화시켜 놨군.

그러니 자연의 질서에서는
형님이라고 불러!
힘이 없으니 참을 수밖에….

거의 같은 장소에 살고 있는 서로 닮은 종류들 사이에서
누구 허락 받고 여기서 사냥하는 거야?
감히 나한테 시비야!

경쟁이 가장 심하다는 것을 알 수 있지.
귀여운 내 새끼.
우와~ 점심 식사다.
카르르

그런데 생존을 위한 거대한 전쟁에서

어떻게 한 종이 다른 종을 눌러 승리를 할 수 있었을까?
저 좀 풀어 주세요!

이 질문엔 정확하게 대답할 수가 없어.
우리 집에 오신 손님인데 잘 모실게….
이제… 마지막인가.

확실한 것은 모든 생물은 생존 경쟁에서 각자의 무기를 가지고 있다는 점이야.
공포의 혓바닥이닷!
휘익

호랑이는 날카로운 이빨과 발톱으로 먹이를 사냥하고

민들레는 씨앗에 털이 있어서 바람을 타고 멀리까지 자손을 퍼뜨릴 수 있지.

이처럼 각각의 생물은 자신들의 무기를 이용하여 자손을 최대한 많이 남기려 노력하지.

이것이 생존 경쟁의 본질이라고 할 수 있어.
와앙!

맬서스의《인구론》과 사회 진화론

생존을 억제하는 힘

다윈이 종의 기원에 대한 책에서 사용한 자연선택의 아이디어는 맬서스의《인구론》에서 얻었다고 해. 맬서스는 인구 집단은 기하급수적으로, 즉 '1→2→4→8→16' 과 같이 증가하는 반면 식량 공급은 산술적으로, 즉 '1→2→3→4→5' 와 같이 증가하기 때문에 인구 증가가 식량 공급을 추월하게 되는데, 이는 결국 전염병, 전쟁, 극단적인 빈곤 등과 같이 인간 수명을 단축시키는 요인에 의해 조절될 수밖에 없다고 했어.

인구는 계속 늘어나려는 자연적인 경향이 있는데, 이를 억제하는 어떤 강력한 힘이 존재한다는 맬서스의 개념이 다윈의 뇌리에 꽂힌 거야. 동식물의 습성을 오랫동안 관찰해 온 다윈은 생존투쟁의 상황에서 유리한 변이는 제대로 보존될 것이며 불리한 변이는 사라지고 말 것이라는 생각을 곧바로 떠올렸어. 그리고 그 결과는 새로운 종의 탄생이라고 생각했지. 이제야 비로소 다윈은 실현성 있는 진화에 대한 설명, 즉 보다 잘 적응한 생물은 더 잘 생존하고, 다음 세대의 조상이 된다는 자연선택의 이론을 세울 수 있었던 거야.

맬서스(1766~1834)

다윈은 생물의 개체수에 직접적인 영향을 미치는 것은 알이나 씨의 수가 아니라 생존을 억제하는 요인이라면서 그 요인을 포식자, 제한된 먹이, 기후, 전염병 등으로 설명하고 있어. 그는 이런 제한 요인들과 관련된 생존 경쟁 속에서 모든 생물들이 매우 복잡한 관계로 얽혀 있음을 깨달았어. 다윈은 자연계의 생존 경쟁은 피할 수 없다고 확신했고, 서로 비슷한 생물들 사이에서 가장 치열한 생존 경쟁이 일어난다고 했지.

생존 경쟁을 둘러싼 오해

먹잇감 하나를 앞에 두고 두 짐승이 다투는 것뿐만 아니라 황량한 사막에서 건조한 기후와 싸우는 선인장의 생명력, 자신의 달콤한 열매로 새를 유혹해서 종자를 널리 퍼뜨리려는 겨우살이의 노력 등도 다윈이 말하는 생존 투쟁이야. 생존 경쟁의 다양한 모습을 관찰한다면 생존 경쟁의 삭막함보다는 오히려 따뜻함을 느낄 수도 있다는 얘기지.

다윈의 생존 경쟁이 우리에게 좋지 않은 인상으로 남게 된 것은 다윈이 죽고 나서 다윈의 이론을 맹목적으로 사회에 적용시킨 사람들의 잘못이야. 다윈이 인생의 후반기를 살았던 19세기 말과 다윈어 죽은 다음의 20세기 초에는 다윈의 진화론을 사회에 그대로 적용한 사회 진화론 혹은 사회 다윈주의가 풍미하게 되지. 그러나 다윈은 이러한 사회 다윈주의와는 아무런 관련이 없어. 아마 다윈이 지금 다시 살아난다면 이들을 저작권법 위반으로 고발했을지도 몰라.

제6장 자연선택 또는 적자생존

생존 경쟁은 변이에 어떤 작용을 할까?
이 녀석이 내 구역까지 침범해!
가마우지

가축의 경우 그렇게도 강력했던 선택의 원리가 자연에서도 작용할까?
저 예쁘죠?
침 좀 봐. 드러~

나는 그렇다는 것을 증명할 수 있어.
틀림없는 사실이야!

사육하는 동물이나 재배하는 식물이 변이하듯이
올해는 모양이 좀 다르네!

자연계의 생물도 변이한다는 사실과
휘저으며 잡는 거야.
츄츄츄!

이 변이는 유전적 경향이 강하다는 사실을 기억해 둬.
어미의 부리가 기니까 새끼들도 다 그렇게 되는구나.

생물은 인간에게 유용한 쪽으로 변이할 수는 있지만
사막의 발.

인간이 직접 변이를 만들어 내는 것은 아니야.
자연이 만들지.

인간은 변종이 생기게 할 수도 없고, 그 출현을 막을 수도 없어.
와~ 벌이!

단지 자연적으로 발생한 변이를 보존하여 축적시킬 수 있을 뿐이지.
꿀벌을 키우면 꿀을 먹을 수 있지.
도둑 잡아랏!

인간은 자신의 이익을 위해서 품종을 교배하지만
방울토마토가 먹기 편리하군.
토마토라면 이 정도는 돼야지.

자연은 자신이 품고 있는 생명의 이익을 위해서라고 할 수 있지.
키싱구라미
우리처럼 예쁜 아기를 만들어요.

인간은 극히 일부에 국한되어 생물계에 영향을 미치지만
녀석들, 숙제가 또 곤충 채집 이군….

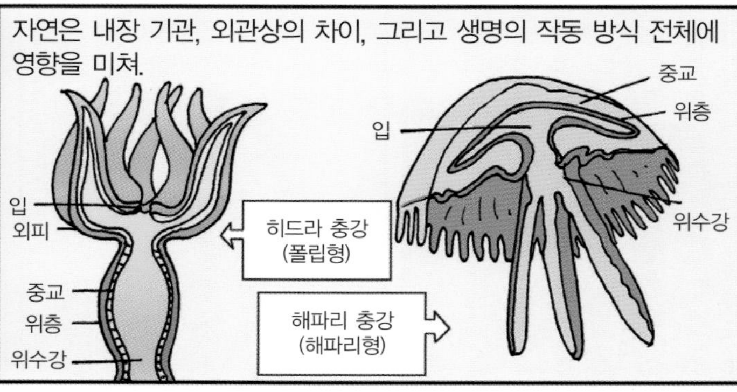
자연은 내장 기관, 외관상의 차이, 그리고 생명의 작동 방식 전체에 영향을 미쳐.
입
외피
중교
위층
위수강
히드라 충강 (폴립형)
해파리 충강 (해파리형)
중교
위층
입
위수강

일반적으로 생물들은 생존할 수 있는 것보다 훨씬 더 많은 개체를 생산하지.
세상으로 출발!

그리고 이들 대부분은 파괴되고 말아.
이리 온~

이러한 절박한 생존 경쟁의 상황에서 조금이라도 유리한 변이를 지닌 개체와 그렇지 않은 개체의 생존율 차이는 큰 수준으로 벌어지게 돼.

나처럼 환경에 잘 적응해야 해.

거미불가사리

그래서 조금이라도 불리한 변이를 지닌 개체는 가차 없이 죽어 없어지며
내가 맛있게 먹어 줄게.
무서운 놈!

유리한 변이는 살아남지.
완전무장이 내 특기지.
호주잎해마

그리고 살아남은 개체들은 자신과 똑같은 특징을 지닌 후손들을 생산해.
날 닮으렴.
내 새끼들도 안전할 거야.

이렇게 이로운 변이는 보존되고 불리한 변이는 제거되는 것이 '자연선택'이야.
이쁜아~ 일루 와 봐!
저같이 이쁜 물고기를 드시려 하니 나빠요.
에인절피시

혹은 '적자생존'이라고도 하지.
쩝~ 잘 먹었다.

내가 말하는 자연선택에 대해서 일부는 오해하는 것 같아.
보쇼?

어떤 사람은 자연선택이 변이를 만들어 내는 것이라고 생각한단다.
자연 상태에서 변하는 거 아뇨?

그러나 자연선택은 만들어진 변이를 보존하는 역할만을 수행하는 거야.
내 품에서 무럭무럭 자라거라.
변이

어떤 이들은 선택이라는 단어가 동물에게 의식적인 선택이 있음을 의미한다며 이의를 제기했어.
?
일부러 코를 늘였지?

식물에는 의지가 없으므로 식물에 자연선택을 적용시킬 순 없다는 거였지.
나를 완전 무시하네.

이들은 '선택'이라는 말을 문자 그대로 해석해서 그런 거야.
선택.
네, 선택!

어떤 이들은 내가 자연선택을 하나의 능동적인 힘 또는 신(神)을 의미했다고 해석해.
자연 선택!
아~ 뭔 말인지 알겠다.
주님의 보살핌….

그러나 중력이 여러 행성의 운동을 '지배'한다고 하는 것에 대해서 누가 이의를 제기하겠니?
중력

이러한 은유적 표현이 무엇을 의미하는지는 누구나 알 거야.
이 글은 이렇구나!

이와 마찬가지로 자연이라는 말을 인격화하는 것은 현실적으로 피하기 어려운 일로 보여.
내가 알고 있는 자연은 생명의 창조자야!

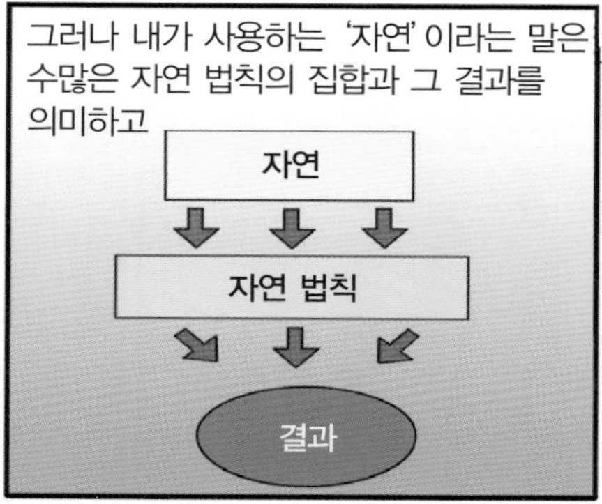
그러나 내가 사용하는 '자연'이라는 말은 수많은 자연 법칙의 집합과 그 결과를 의미하고
자연
자연 법칙
결과

또한 '법칙'이라는 말은 사건의 연속적 경과를 의미해.
경과
사건
사건

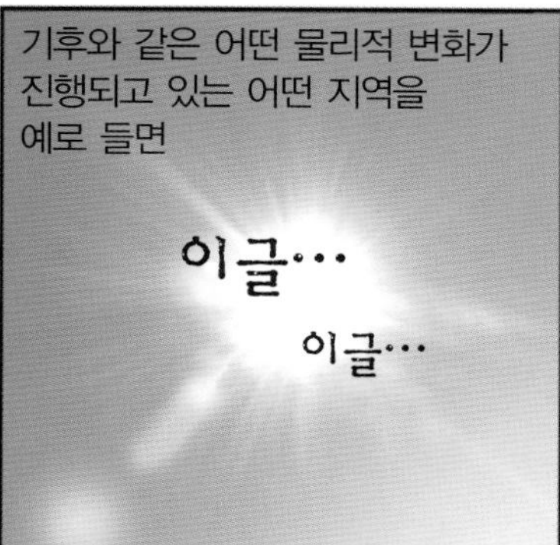
기후와 같은 어떤 물리적 변화가 진행되고 있는 어떤 지역을 예로 들면
이글…
이글…

이런 지역에 사는 동식물의 상대적인 개체수는 항상 변화하고
며칠째 비가 안 내려….

몇몇 종은 즉시 멸종할 수도 있겠지.
파닥!
파닥!
송사리 살려!
비야….
좀 더 힘내.

각 지역에 사는 생물들은 서로 긴밀하고 복잡하게 연결되어 있으므로
전부 말라서 벌레가 한 마리도 없네.

몇몇 생물의 수적인 비율에 생긴 변화는
엄마 배고파!
에고~ 가뭄이라 먹이가 부족해.

또 다른 변화를 만들지.
엉! 쟤는 누구야?

만약 이 지역이 개방되어 있다면 새로운 생물이 옮겨 와서
안녕! 반갑다. 친구들아.

원래 살고 있던 생물들의 관계를 심하게 교란시키겠지.
어으~ 배불러!
꺼억!
닥치는 대로 먹어 치웠어.

여기에서 기억해야 할 것은

외부에서 들어온 단 한 마리의 짐승 또는 단 한 그루 나무의 영향이야.
저요?

새로 들어온 종이 그 지역에 잘 적응한다면 그 종이 그 지역을 점령해.
어서 오렴.
우르르
우아! 처음에 하나였는데 지금은 엄청 많네.

이런 방식으로 자연선택이 작용하는 거야.
자연
저를 뽑아 주셔서 고맙습니다.

일정한 지역에 사는 생물들은 힘의 균형을 바탕으로 함께 경쟁하고 있지.
함부로 까불지 마.
너나 잘 하세요.

따라서 어느 한 생물의 구조나 습성의 변화가 극히 사소하더라도 그것은 다른 생물에 영향을 미치게 돼.
니가 나뭇잎은 왜 먹냐?
먹이 취향이 바뀌었어.

모든 토착 생물이 서로에 대해, 물리적 생활 환경에 대해 흠잡을 데 없이 완벽하게 적응해 있는 지역은 없을 거야.
앗! 따거.
우리는 모두 다 친구들….

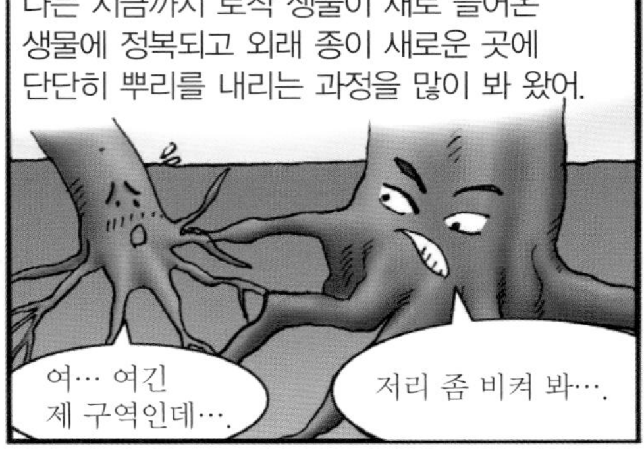
나는 지금까지 토착 생물이 새로 들어온 생물에 정복되고 외래 종이 새로운 곳에 단단히 뿌리를 내리는 과정을 많이 봐 왔어.
여… 여긴 제 구역인데….
저리 좀 비켜 봐….

자연선택은 매일 매시간 전 지구에 걸쳐 사소한 부분까지 관여하지.
지금 이 순간에도 자연선택은 이루어지고 있어.

이렇게 해서 생기는 변화는 워낙 느려서

금방은 사람들 눈에 보이지 않지만

오랜 시간이 지나면 우리들 눈에도 흔적이 보이게 돼.
어머, 언제 이렇게 예쁜 꽃이 피었지?

우리가 중요하다고 미처 생각하지 못한 부분에도 자연선택의 힘은 작용하지.

나뭇잎을 갉아먹는 곤충은 녹색이고
지금은 녹색 벌레지만 예쁜 나비가 될 거예요.

나무껍질을 먹고 사는 곤충은 회색 점박이야.
어이! 나와 봐!
영구 없어요!

미국에서는 껍질에 털이 없는 과일은 털이 있는 과일보다 거위벌레의 해를 많이 입으며

보라색 자두는 노란색 자두보다 훨씬 병에 걸리기 쉽고
넌 괜찮니?
끄떡 없어!

또 다른 어떤 병은
난 노란색이 참 좋아.

노란색 과육의 복숭아가 다른 색의 복숭아보다 훨씬 더 많이 걸려.
색을 잘못 선택했어.
얍!

이러한 사실들을 볼 때 색깔이 생물을 위험으로부터 보호한다고 볼 수 있어.
색깔이 예쁘고 맛도 기막혀요.
어머! 잘 익었네.

자연이 각종 생물에게 적절한 색깔을 부여한 것이라고 할 수 있지.
그만 살고 싶으면 나를 잡숴요!
독화살개구리

동물을 사육하거나 식물을 재배하다 보면
아주 매력적이네.

어떤 특징이

암컷 혹은 수컷에만 나타나서 그 한쪽 성(性)이 고착되어 유전되는 것처럼 보이는데
엄마 특징을 쏙 빼닮았어요!

자연에서도 이와 똑같은 일이 발생해.
나 닮은 멋진 아들이 있었으면…

그래서 암컷이나 수컷의 생활 습관이 다를 때 이것이 자연선택에 의해 서로 다르게 변화되고 또한 한쪽 성이 다른 쪽 성에 영향을 줘서 변화하겠지. 이것을 나는 성 선택이라고 불러.
크헝!
역시 내 아들이야.

이 선택은 다른 생물 혹은 외부적 조건과 관련된 자연선택에 의존하는 것이 아니라
아이구~ 귀여운 내 손주.
할아버지와 아빠를 닮아 총명해요.

대개는 수컷들이 암컷을 소유하려는
헤이~ 아가씨~
어쭈
어머!

경쟁 때문에 나타나지.
저 녀석이 감히 우리 순이 씨를…!

그 결과는 경쟁의 패배자가
저런!
음매!
까불고
있어!

자손을 조금밖에 남기지 못하거나
아예 남기지 못하는 거야.
싱글맨.
이
아찌는
누구야?
나도
저런 자식 하나
있었으면….

따라서 성 선택은
자연선택만큼 엄격한 것은
아니라고 할 수 있지.
자연
저도
싸나이
라구요!

일반적으로 강한 수컷이 자손을 가장 많이 남겨.
나만 믿고
따라와!
다 책임
질게….
확실
해요?
어째 좀….

그러나 단순히 힘이 세다고 승리하는 것도 아니고
수컷만이 지니는 어떤 특수한 무기 때문인 경우가 많아.
휘이잉
엉~! 여기가
왜 이렇게
변했지….
잉~ 미련 곰탱이.

뿔이 없는 수사슴이나 발톱이 없는
수탉은 자손을 많이 못 남길 거야.
너는 왜
그렇게
빈약해?
댁두
만만치 않아.

성 선택은 승리자에게 번식을
허용함으로써
뿔이
이 정도는
돼야지!

불굴의 용기, 긴 발톱, 강한 날개 등을 발달시켰다고 할 수 있어.

말하자면 자기가 가진 닭 중에서

가장 센 수탉을 골라 싸움을 붙이는 일을
살살 좀 하자!
탁
탁

자연이 한다고 할 수 있지. 마치 투계꾼들처럼 말이야.
자연의 잔인한 면모지.

수컷 악어는 암컷을 차지하려고
자기만을 위해 내 실력을 보여 줄게.

인디언이 전투 무용을 하듯이
우요요
얘들이 날 따라 한 거야.

마구 괴성을 지르며 빙빙 돈다고 해.
꾸워워웍

연어의 수컷 또한 하루 종일 싸우고
너 죽고!
나 살자!

수컷 사슴벌레는 큰 집게를 이용해 다른 수컷을 공격하지!
어디 내 애인을 넘봐!
그만해.

일반적으로 힘이 센 수컷이 이기지만
한 판 붙어 볼 테야?
????

꼭 힘이 세다고 암컷을 차지하는 것은 아니야.
다른 것을 한번 볼까?

새들 사이의 경쟁은 다른 동물보다 평화로운 것처럼 보여.
쫑알 쫑알
응~ 알떠.

노래를 부르기도 하고
꽤~액~
꽤~액
제발 그만!

깃털을 뽐내며 춤을 추기도 하지.
어때, 우아해?

기아나의 바다지빠귀나 극락조 또는 다른 어떤 새들은 여럿이 모여들어서
잘 해보자.

수컷들이 차례로 암컷들 앞에 나가 화려한 날개를 자랑하며
여러분의 귀염둥이 예요.

기묘하고 익살맞은 몸짓을 해 보이지. 암컷들은 마치 구경꾼처럼 가만히 보다가
돌아 와요 ~
라라라
오 빠!
검은 고양이는~ 네로~

마지막에 가장 마음에 드는 배우자를 골라.
옵빠가 최고얌!
이 오빠 맘 알지?
아잉~

새를 기르면서 자세히 관찰한 사람들은
친구처럼 잘 지내렴.
으잉 ~

새들에게 저마다 좋아하는 새와 싫어하는 새가 있음을 잘 알아.
나는 오직 이 도령님뿐.
나도 알고 보면 괜찮은 새야….

어떤 사람은 얼룩무늬를 가진 수컷 공작 한 마리가
내가 카사노바 공작새야.

모든 암컷들을 완전히 사로잡은 일을 자세히 기록해 두었지.
화악
어머나! 오빠!

나는 지금 이러한 생각을 뒷받침하는 근거들을 일일이 설명할 여유가 없어.

하지만 인간이 자신이 생각하는 아름다움의 기준에 따라
우아한 새를 떠올려.
아름다움의 기준이라 ….

짧은 시간 내에 우아하고 아름다운 새들을 만들 수 있었다는 사실을 생각해 봐.
빅토리아공작비둘기

그러면 암탉들이 그들 자신의 아름다움의 기준에 따라
어머! 너무 이쁜 거~

수천 세대에 걸쳐 가장 노래를 잘하거나
창문을 열어다오~

아름다운 수컷을 선택함으로써
아기들도 당신처럼 멋진 깃털을 가졌으면.

뚜렷한 효과를 불러왔음을 의심할 이유가 없을 거야.
우리 예쁜 병아리들….
삐약

다 자란 수컷이나 암컷의 깃털이
아빠랑 저랑은 왜 깃털이 달라요?

어린 새와 다른 것은 어떻게 설명할까?
네가 커 가면서 아빠의 깃털처럼 변한단다.
얼마나 커야 돼요?

그것은 주로 새들의 성숙기
아~! 아~!
녀석 제법 목소리가 굵어졌네….

또는 번식기에 나타난 깃털의 변이에
장가 갈 때가 된 거지.
어머~ 언제 이렇게 변했어?

성 선택이 작용했기 때문이라고 할 수 있어.
수컷은 커 가면서 깃털이 변하게 돼!

새들은 일정한 나이가 되면 수컷 또는

암수 모두에서 독특한 변화가 나타나는 것이지.
저는 엄마, 아빠를 골고루 닮았나 봐요!

암컷과 수컷이 짝짓기하는 과정에서의 경쟁은
툭
탁

암수의 모습을 다르게 변화시켜.
순이야!
오빠는 내가 그렇게 좋아?

이것이 성 선택의 본질이야. 성 선택은 생존 경쟁처럼 격렬하지 않더라도 그 효과는 자연선택만큼 강력하지.
수세대 동안 변화해서 이처럼 아름다워진 거야.
청황마코 앵무

그래서 같은 종에 속한 수컷과 암컷이 일반적인 생활 습성은 같으면서
우리 자기는 먹는 모습이 더 예쁘네!
정말? 아구! 아구!

구조, 빛깔, 장식에서 다르다면
외쪽볏

이 차이는 성 선택에 의해 생긴 것이라고 할 수 있겠지.
완두볏

물론 암수의 모든 차이점을 성 선택의 작용 때문으로 볼 순 없겠지만
조금은 자신들의 개성도 있지.

어떤 수컷은 여러 세대 동안에

무기나 방어 수단,
내 뿔 멋있지?

외양 면에서 다른 수컷보다 뛰어나므로
오빠 뿔은 정말 근사해~

바로 이 특성을 자기 수컷 자손에게 전해 주는 거지.
이렇게 벌리면 돼?
그렇지!

성 선택에 대한 이야기는 이만 마치고

다시 자연선택과 적자생존의 원리로 돌아가 보자.

늑대의 예를 들어 볼게.
아저씨 부르잖아요!
나도 알아!

늑대는 어떤 때는 꾀를 쓰고
엄마 여기 있어요.
엄마?

어떤 때는 힘으로
크르르르

어떤 때는 달리기를 무기로
멧돼지 살려~
고생하지 말고 그만 쉬어.

많은 동물들을 잡아 먹어.
꺼윽~
그렇게 많이는 아니고.

늑대가 먹이를 얻기 힘든 시기에
아유 추워! 먹을 게 없나?

다른 먹이는 죽고 사슴만 늘어났다고 가정해 보자.
응! 무슨 냄새?

달리기를 잘하는 사슴을 잡으려면 늑대 역시 빨라야 하겠지.
준비~ 땅!
다다다다..

그러므로 날쌘 늑대들만 살아남겠지.
지금부터 사냥 연습을 하자.

이보다 더 복잡한 경우도 많아.

어떤 식물이 달콤한 꿀을 분비한다고 하면
멀리 멀리 퍼져라. 향기로운 꿀 냄새.

곤충들이 이것을 먹으려고 달려들겠지.
왜애애앵..
이야~ 꿀이다!

그런데 꿀이 안쪽의 밑부분에서 분비되는 경우
너무 깊은 곳에 꿀이 있어!
꿀

꿀을 먹으러 온 곤충은 몸이 꽃가루투성이가 되고
에취!

다른 꽃으로 가면서 암술머리에 꽃가루를 옮기게 되지.

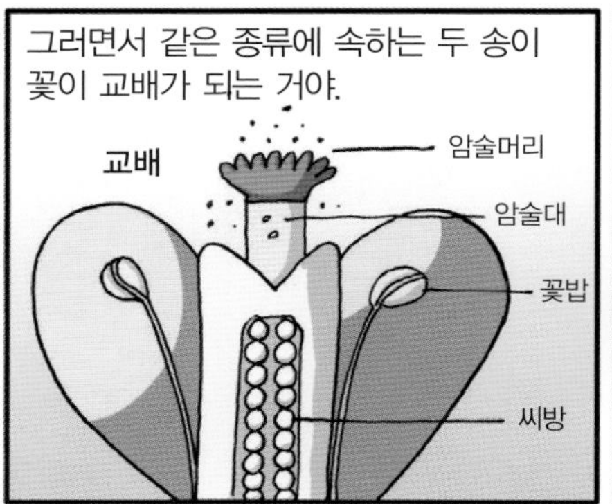
그러면서 같은 종류에 속하는 두 송이 꽃이 교배가 되는 거야.
교배
암술머리
암술대
꽃밥
씨방

동물로 치면 암컷과 수컷이 만나는 셈이지.
자기야~!
아잉~ 부끄~

꿀샘이 큰 꽃들은 곤충이 자주 찾아와서 교배가 잘될 것이고

그 결과 여러 변종을 만들어 낼 확률이 높아지겠지.

또 꽃가루를 운반하는 곤충이 접근하기 쉬운 곳에 암술과 수술이 놓여 있는 꽃들도
가까워서 좋아.

교배 가능성이 높아져서 자연선택에서 살아남을 가능성이 커질 거야.
여기는 우리 터전이야.

토끼풀의 경우

붉은토끼풀과 담홍색 토끼풀의 꽃부리관은 겉으로 보기엔 비슷하지만
얘들아, 여기도 좋아.
싫어.

사실은 붉은토끼풀의 꽃부리관이 더 길어.
헉~! 꿀이 너무 안쪽에 있어서 안 빨린다.

그래서 꿀벌들은 담홍색 토끼풀에서는 쉽게 꿀을 빨아올리지만
미안! 재가 더 쉬워!

붉은토끼풀에서는 쉽게 꿀을 빨아올리지 못하지.
비켜 봐!
엉!

붉은토끼풀을 찾아드는 벌은 호박벌뿐이야.
우리 호박벌이 해결하지.

그래서 붉은토끼풀이 들판 가득 피어 있어도

꿀벌에게는 아무런 소용이 없어.
우리에게는 그림의 떡이야.

꿀벌이 이 꿀을 좋아하는 것은 틀림없어.
맛있게도 먹네….

호박벌이 관 밑에 뚫어 놓은 구멍으로
앗! 꿀 구멍이다.

꿀벌들이 그 꽃을 빨아먹고 있는 것을 보았기 때문이지.

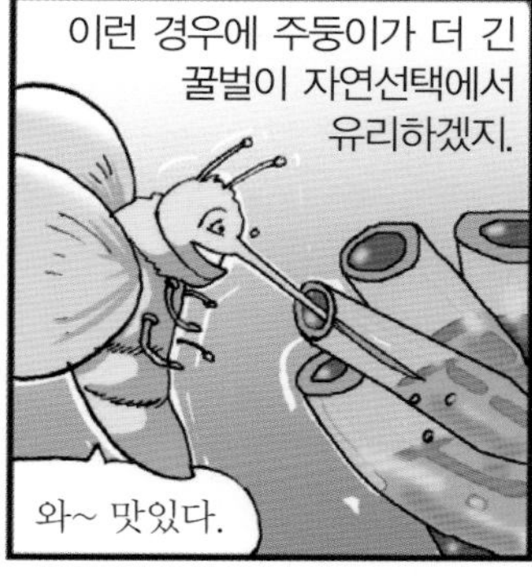
이런 경우에 주둥이가 더 긴 꿀벌이 자연선택에서 유리하겠지.
와~ 맛있다.

주둥이가 길면 두 종류의 토끼풀에 접근하기 쉬울 테니까.
어느 걸 먹을까? 행복한 고민~

그런데 만약 이 지역에서 호박벌이 줄어들면
호박벌이 다… 어디 간 거야?

꽃부리관이 긴 것은 생존 경쟁에서 불리해질 것이고
큰일이다. 씨를 퍼트리지 못하게 됐어.

꽃부리관이 짧은 토끼풀은 점점 유리해지겠지.
붉은토끼풀이 모두 사라졌네.

이처럼 꽃과 벌은 영향을 주고 받으면서 변해 가.
우린 소중한 거 알지!

그러면 자연선택을 통해서 새로운 형태를 만드는 데 뭐가 유리한 환경일까?
환경을 잘 이용해야 해.

이것은 매우 복잡해.

변이라는 말은 개체적인 차이를 포함하는 개념인데

변이의 양이 많다는 것은 확실히
유리해.

개체가 많으면 일정 기간 내에 유리한
변이가 나타날 좋은 조건이 되지.
와~ 우리 집안에서
박사가 나왔다.

성공의 제1요건이지.
역시 새끼들은
많이 낳아야 해.

경쟁 집단에서 따로 떨어지는 격리도 자연선택
과정에서 중요한
요소야.
그곳에서
잘 지내….

격리되면 경쟁이 억제되어
사이 좋게 나눠 먹자.

새로운 변종이 서서히
개량되기 위한 시간을 주니까.
걸음마를 배워야지.

그러나 전체적으로 말하면 지역이 넓은 편이 종의 성장을 위해
더 중요하다고 나는 믿어.
아들아
큰 세상에서
살거라.

변화의 경과는 일반적으로 지역이 넓은 편이
더욱 빠르지.
떨어져 살더니
많이 변했구나?
귀가
커졌죠.

넓은 지역에서 수많은 경쟁자를
물리친
내 먹이!

새로운 생물은 영역을 넓혀 갈 것이고
비켜 짜샤~
네…
형님.

새로운 변종을 만들어 생물계의
변화 역사에 중요한 역할을
할 거야.
사촌!
빨판상어야.
너랑 전혀 달라!

여기서 잠깐 다른 이야기를 하려고 해.
아주 흥미로운 얘기야.

암컷과 수컷이 자손을 낳으려면
우리 예쁜 아가는 언제 태어나나?
하잉~ 몰라요.

반드시 암컷과 수컷 두 개체가 짝짓기를 해야 하지.
사랑해.
저두요!

그러나 암컷과 수컷이 한 몸에 있는 암수한몸의 경우에는
저요?

이것이 명확하지가 않아.
조금은 어려울 수도 있지만….

이 문제를 좀 더 이야기해 보자.
설명을 잘 들어 봐요.

꽃이 습기에 노출되면 수정이 잘 이루어지지 않는데도

왜 꽃밥과 암술머리가 밖으로 노출된 꽃이 그렇게 많을까?
수술의 꽃밥
암술 머리
씨방
꽃잎
꽃받침

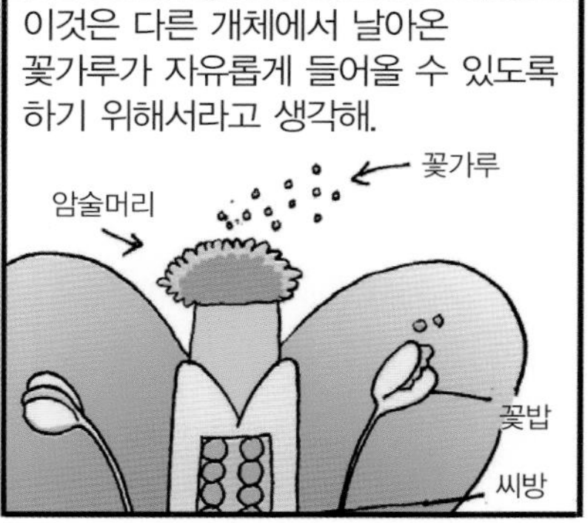
이것은 다른 개체에서 날아온 꽃가루가 자유롭게 들어올 수 있도록 하기 위해서라고 생각해.
꽃가루
암술머리
꽃밥
씨방

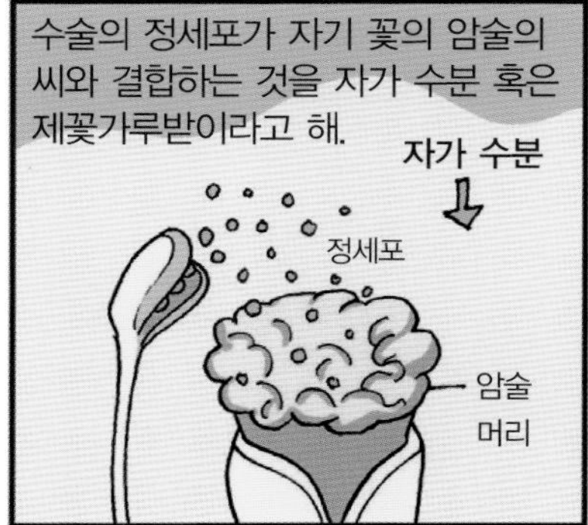
수술의 정세포가 자기 꽃의 암술의 씨와 결합하는 것을 자가 수분 혹은 제꽃가루받이라고 해.
자가 수분
정세포
암술 머리

제꽃가루받이는 잘 안 일어나.
정세포
자가 수분
차단
암술머리

로벨리아 풀겐스라는 꽃은

암술머리가 꽃가루를 빨아들일 준비를 하기 전에
꽃가루가 오기 전에 준비해야지.
암술머리
꽃밥

꽃밥에서 꽃가루를 남김없이 털어 버려.
우리끼리는 안 돼!
네
탈
탈

또 자기 꽃의 꽃가루가 준비되기 전에 암술머리는 준비를 벌써 끝내고
예쁘게 단장했으니까 꽃가루들이 많이 오겠지.
꽃밥
난 다른 데로 갈게….

다른 꽃에서 날아오는 꽃가루를 빨아들이지.
딱 내 스타일이야!

이 얼마나 기묘한 일이야.

한 꽃에 꽃가루와 암술머리가 같이 있는데도
심심하면 나라도?

서로에게 쓸모가 없다니 말이야.
안 돼. 가까이 오지 마.

만일 양배추, 무, 양파 등을

서로 가까운 곳에서 재배하면 대부분 잡종이 나오지.
반갑다. 친구들아.

나는 다양한 변이를 가진 양배추 233개를 길러 보았는데
이번 실험주제
양배추의 잡종경향
방법: 양배추 233개 재배

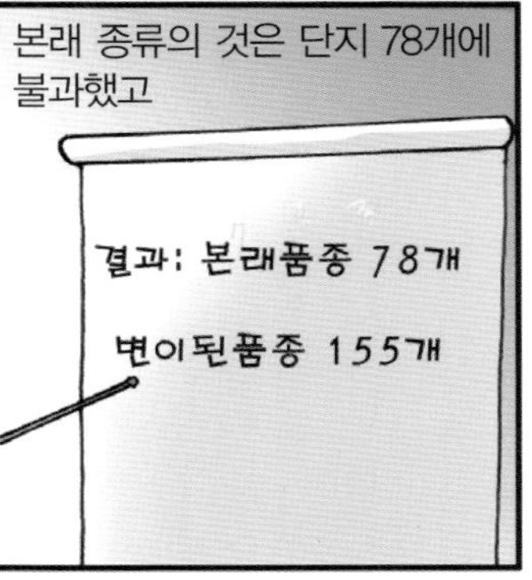
본래 종류의 것은 단지 78개에 불과했고
결과: 본래품종 78개
변이된품종 155개

나머지는 모두 변해 버렸어.
결론: 양배추는
세대를 거듭할수록
잡종으로 변해간다.

양배추 꽃은 암술머리가 여섯 개의 수술에
둘러싸여 있을 뿐만 아니라
수술
수술
암술머리
수술

같은 포기에 있는 다른 꽃들의 수술에도
둘러싸여 있어.
수술
암술

그렇다면 왜 잡종이 된
걸까?
강한
종자로
거듭나
야지.

내 생각에는 자신의
꽃가루보다는
내
꽃가루와
결합하면
왜 나빠?

자신과는 다른 변종의 꽃가루가
더욱 우세한 작용을 하기 때문인
것으로 보여.
변이된 우수한 종자를
받아야 더욱 강해지는 거야.

이것은 같은 종의 다른 개체 간에
이루어지는 교배가 우수한 생물을
낳는다는 법칙을 말해 줘.
우리는 우수한
혈통의 종자들….

그러면 동물은 어떨까.
달팽이를
한번 볼까?
바빠요.

육지에 사는 달팽이나 지렁이는
암수한몸이지만
너두 여자
친구 없니?
내가
다래.

새끼를 낳을 때는 항상
짝을 지어 교미해.
우리는
정말 끈적
끈적한
사이.

그 이유는 뭘까?

식물이나 동물이 다른 변종들끼리
교배하거나
영숙아
뭐 해?
축구공
놀이 해.
쥐며느리

같은 변종 내에서 서로 집안이 다른 개체와
교미하면 그 자손은 왕성한 성장력과
생식 능력을 갖게 돼.
우글..
우글..
우글..
쥐며느리
천국이다.

반면 근친 사이에 교배가 이루어지면
꿀벌들도 없으니 자가 수분해 버리자.

그 자손은 건강하지 못하고 생식 능력이 현저히 떨어지지.
힘이 없어 자라질 못해.
나는 자꾸 졸려….

아마도 어떤 생물이든 자손을 영구히 남기기 위해서 자가 수분을 피하는 것이 자연 법칙인 모양이야.
쩝
우리 자손을 위해서 우리끼리 수정은 절대 안 돼!

그래서 암수한몸인 동물들도 새끼를 낳을 때는 다른 개체와 교미를 하지.

지금까지 자연선택, 적자생존, 성 선택 등을 살펴봤어.
많은 공부가 됐지?
진화

이제 분기의 원리에 대해서 이야기를 하려고 해.

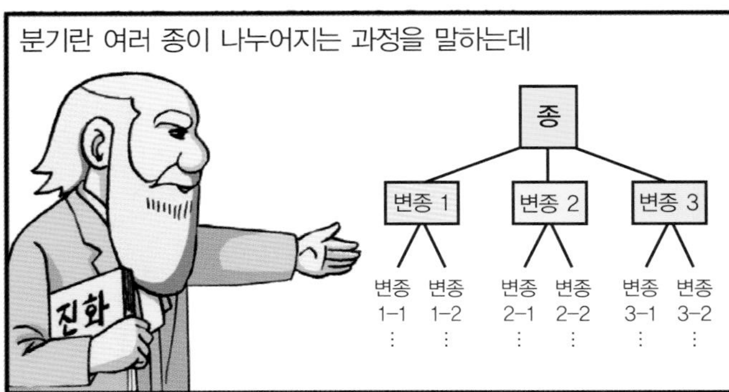
분기란 여러 종이 나누어지는 과정을 말하는데
종
변종 1
변종 2
변종 3
변종 1-1
변종 1-2
변종 2-1
변종 2-2
변종 3-1
변종 3-2
진화

이 분기의 원리로 많은 중요한 사실들을 증명할 수 있어.
한번 볼까!

변종은 아무리 독특한 특징을 많이 가지고 있다고 하더라도
참 특이하게 생겼네.

자기가 속한 종의 특징을 갖게 되지.
너희들이 있는 건 나도 다 있어. 왜 그래?

그럼에도 불구하고 나는 앞에서 변종은 새로운 종의 시작이라고 했지.
지금은 변종 취급을 받지만 언젠가는….

그런 변종끼리의 차이가 어떻게 하여
물속에는 먹이가 더 많니?

종끼리의 커다란 차이로 커지는 것일까?
너도 완전한 독립체가 되었구나.
응.

이 문제에 관해서도
예를 들어 볼까?

사육하고 재배해 온 생물에서
그 단서를 구해 보자.
많이 먹어.

역사의 초기 단계에 어떤 사람은 빨리 달리는 말을, 어떤 사람은
힘이 센 말을 원했다고 가정해 보자.
날쌘돌이.
시켜만 줍쇼.

최초의 차이는 지극히 적었을 거야.
헉
헉
처음이라 그래요.
좀 더 열심히 해.

시간의 흐름에 따라 한 사육사는
캬아앙
엄청 빨라졌어.

빠른 말을 계속 선택했고

다른 사육사는 힘센 말을
선택했다면
으라차차차찻!

세대가 거듭될수록 차이는 자꾸 커져서
힘
스피드

수세기 후에는 두 개의 뚜렷한 품종이 되었겠지.

두 품종의 차이가 계속 벌어지는 과정에서
짱!

빠르지도 않고 힘세지도 않은 어정쩡한 말들은
너 요즘 일하니?
2년째 놀고 있어.

인정을 받지 못하여 소멸해 버리고 말았겠지.
지는 노을 속으로 사라지고 마는구나.

여기에서 우리는 분기의 원리를 찾아볼 수 있어.

즉 처음에는 아주 미세한 차이를 차츰 증가시킴으로써 새로운 품종이 만들어지고
노새는 힘은 세지만 불임이죠.
하지만 새로운 품종.

이것들이 형질 면에서, 조상으로부터도 멀어져 가는 것이 분기라 할 수 있지.
걱정 마세요. 잘 살게요.
잘 살아야 한다. 내 자손.

그렇다면 이와 비슷한 원리가 자연계에서도 적용될까? 나는 그렇다고 믿어.
어서 오세요.

그것은 어떤 한 종에서 태어난 자손이 구조, 체질, 습성에 따라 분기되어 있는 점이 많으면 많을수록 그것들은 자연계에서 다양한 지위를 차지할 수 있고 그로 인해 개체수를 늘려 갈 수 있다는 단순한 원리에 의해서 가능하지.

결론을 말하니까 쉽지만 나 역시
이것을 알게 되기까지는

상당한 시일이 걸렸다는 것을
고백할 수밖에 없어.
홋!

이러한 사실은 습성이 단순한
동물들에서는 쉽게 찾아볼 수 있지.
에~
저요?

네발 달린 젖먹이 동물이

어떤 지역에서 이미 오래 전부터

최대한의 수에 도달해 있는 경우를
예로 들어 보자.
여기는 좁아요. 이사 가요.
방이 더 많아야겠지?

그들의 자손들은 다른 동물이 차지하고 있는 지역을
차지해야만 숫자를 늘릴 수 있겠지.
지금부턴 우리가 접수한다.
자기 맘대로네!

세대가 거듭될수록 자손들은 변하므로 어떤 자손은
새로운 종류를 먹게 될 거고
자손들이 각자 다 개성이 넘치네.
나는 개미가 더 맛있어.

어떤 것은 나무에 올라가서 살거나
열매만큼 맛있는 건 없어.

물속으로 들어가기도 하고
나는 물이 좋아.

풀을 먹는 것들도 있겠지.
온통 숲이라 나는 끼니 걱정이 없지.

즉 젖먹이 동물은 자손들의 습성 및 구조가 다양해지면 질수록
덜렁
덜렁

보다 많은 지역을 점령할 수 있게 되리라는 걸 상상할 수 있겠지.
추운 곳에서도 적응하며 잘 살아.

식물도 마찬가지야.

일정 구획의 땅 한 쪽에 같은 종의 씨를 뿌리고
같은 종
같은 종

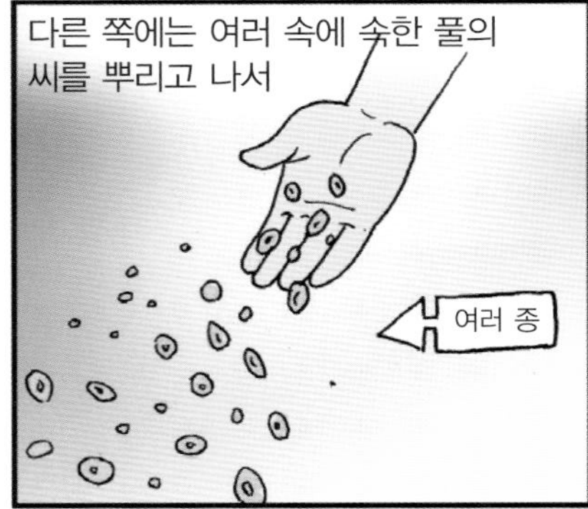
다른 쪽에는 여러 속에 속한 풀의 씨를 뿌리고 나서
여러 종

어떤 식물이 더 많이 자랄까를 실험해 보았어.
같은 종
여러 종

결과는 같은 종의 식물보다는
같은 종

여러 종류의 씨를 뿌린 식물이 훨씬 수도 많고 양도 많았어.
여러 종

또 같은 면적의 땅에 밀을 심을 때도

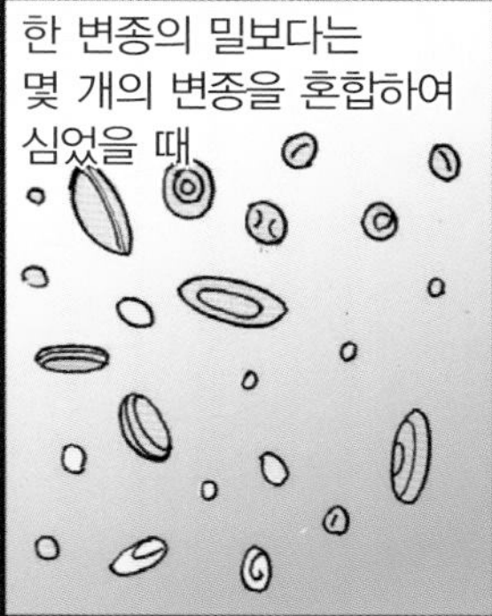
한 변종의 밀보다는 몇 개의 변종을 혼합하여 심었을 때

더 수확량이 증가한다는 사실도 이미 증명됐지.
풍년이다!

그래서 어떤 한 종의 풀이 세대를 거듭하면서

변이를 계속하여 서로 차이를 나타내고

또 어떤 변종이 잇달아 선택된다면

이 종에 속하는 식물 개체의 대다수는 물론

그 변화한 자손까지도 같은 땅에서 자랄 수 있게 되겠지.
증조할아버지세요? 고조할아버지세요?
녀석들….

따라서 수천 세대가 경과하는 동안에 하나의 가장 뚜렷한 변종이 성공하여
자연선택에 의해 강하게 살아남았다.
강한 넘.

수를 늘리게 되면
우리 땅을 노려본다.
내가 정복할 광활한 대지군.

그다지 뚜렷하지 않은 변종은 밀려나게 돼.
다른 곳으로 옮겨 가시지.
정말 번식력이 강한 종이다. 우~

구조가 다양해짐으로써 생명이 최대한 유지될 수 있다는 사실을
우리는 다양성을 존중해야 해.
그래 맞아! 그래야 살아남지.

많은 자연환경에서 찾아볼 수 있어.

왕래가 자유롭고 개체끼리의 경쟁이 심한 곳에서는
좀 비켜 주시지!
싫어!

아주 좁은 지역이라도 다양한 생물들이 살지.
복잡하니 꿀을 땅속에 보관하자.

오랫동안 같은 조건에 있었던 약 1평방 미터의

좁은 잔디밭을 조사해 봤더니

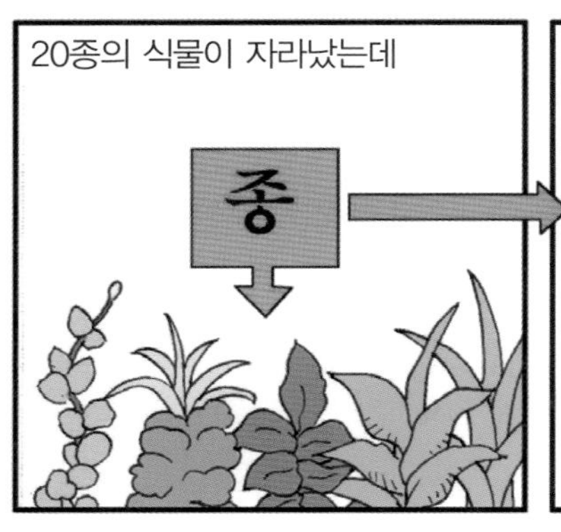
20종의 식물이 자라났는데
종

이들은 18가지의 속, 8개의 목에 속해 있었으며
속 18
목 8

서로 큰 차이를 보여 주고 있었어.

아주 작은 섬에 사는 동물이나 식물들도

매우 다양하게 살고 있었으며

작은 연못에도 아주 다양한 생물들이 살고 있었지.

농부들도 다른 종류에 속하는 작물을 많이 경작함으로써

가장 많은 양의 식량을 수확할 수 있다는 것을 알고 있지.

결국 자연은 이미 윤작을 하고 있다고 말할 수 있지.

어느 지역에서도 변종,
즉 종의 시작은
종

다양한 변종을 낳는 비교적 큰 속의
종이라는 것을 이제 알겠지?
속

나는 미래에 대해서 다음과 같이
예언할 수 있어.
종의 기원
예언하노라!

현재 크고 우세한 생물 그룹은

오래도록 증가해 갈 거야.
당연한
소리!

그러나
응!
뭐…
문제라도
있나요?

어느 그룹이 최후의 승리자가 될지는 아무도 알 수 없어.
사알짝
불안한데
….
우리보다
더 강한 게
있나 봐!
우리도
희망이?
돼지 살려….

왜냐하면
과거로
한번 돌아가
볼까?
탁
탁

예전에는 매우 광범위한 지역에서 번성하고 있던
많은 생물들이
한 때는
우리
세상이었지.

지금은 전멸해 버리고 없다는 사실을 잘 알고 있기
때문이지.

자연선택은 생물이 처한 조건에서 유익한 변이만 보존하여 누적하는 것이고

궁극적으로 생물들은 환경에 맞춰 점점 더 개량될 거야.
높은 곳까지 닿아서 좋아.

여기서 우리는 꽤 까다로운 문제와 마주치게 돼.
?
어디서나 문제가 문제지!

이러한 진보가 과연 무엇을 의미하는지 모호하기 때문이지.
먹고살기 위한 거지요.

어떤 갑각류는
움직이기 힘들어.

구조 중 일부가 점점 불완전하게 되어
마디마디가 부딪쳐서 거북해.
그니까 진화해.
덜컥
덜컥

성숙한 성충이 유충보다 더 발전한 것이라고 할 수 없는 경우도 있어.
차라리 유충으로 살래.
끼긱

식물을 볼 때 이 문제는 한층 더 모호해.

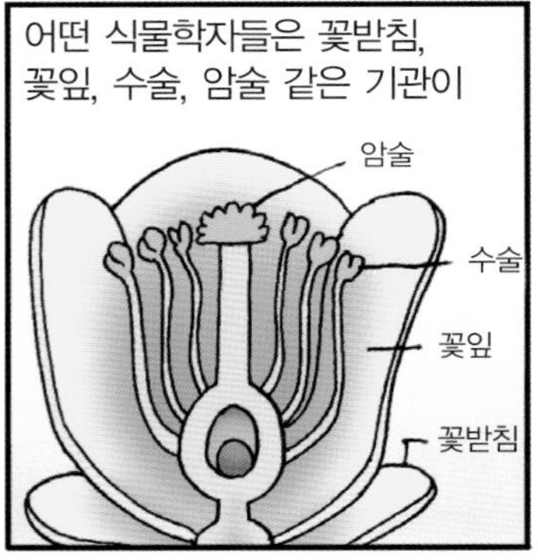
어떤 식물학자들은 꽃받침, 꽃잎, 수술, 암술 같은 기관이
암술
수술
꽃잎
꽃받침

각각의 꽃에서 충분히 발달된 것을 최고로 치고
최고!
?

어떤 이들은 여러 기관들이 변화되고
암술
오!
배유
어린 싹
점단
큰 단
잎

숫자가 적어진 것을 최고로 치지.
단순한 게 최고야!

만약 우리가 성숙한 생물 중에서
자식 사랑이 성숙함도 대변해 주지.

여러 기관이 분화되고 특수화된 것이 많을수록 고등 생물이라고 한다면
엄마 품이 정말 따뜻해.

자연선택은 분명히 이것을 향해서 진행된다고 할 수 있겠지.
자연에 맞춰 진화하는 거야.

그리고 어떤 기관이 불필요해지면 퇴화되어 없어지기도 해.
팔다리는 내게 맞질 않아.
스르르

그렇다면 다음과 같은 반론도 있을 거야.
다윈! 당신은 틀렸어.

이렇게 모든 생물이 그 각각의 단계에서 상승하려는 경향을 갖는다면
자연환경에 맞게 수직 진화하잖아.
여우원숭이

아직도 최하층 생물이 이 세계에 무한히 존재하는 이유는 뭘까?
성게
아메바
우리가 하등 생물* 이래.
갯지렁이
그게 뭔데?

모든 생물은 본능적으로 완성의 방향으로 나아가려는 경향이 있다고 믿었던 라마르크는

*하등 생물 – 진화 과정에서 하위 단계에 있는 단세포 생물.

이를 어떻게 설명할지 난감했을 거야.
어떻게 해야 나의 원리를 이해시킬 수 있을까?

그래서 그는 새롭고 단순한 형태가
근거는 없지만 가정이 필요해.

끊임없이 자연적으로 발생한다고 가정하기에 이르렀지.
우리 모두 생명체로 탄생한다.
원핵생물군

그러나 내 이론에 의하면
종의 기원

하등 생물이 존재하는 건 당연해.
우리가 이상해?
전혀!
우리도 나름 열심히 산다… 뭐.

왜냐하면 자연선택이 반드시
자연

진보적인 발달을 의미하지는 않기 때문이지.
진보만 남진 않아.

그것은 단지 각 생물에게 일어난 유익한 변이를 이용하는 것뿐이야.
너는 왜 기어다니니?
네가 눈이 큰 거랑 같은 이유야.

모든 생물이 본능적으로 완성의 방향으로 나아가는 것은 아닌 거지.
넌 왜 자꾸 거꾸로 가!
해파리
말미잘
내 맘이야!

하등 생물들도 나름대로 놀라운 가능성을 가지고 있어.
가능성? 중요하지!

우리가 하등 동물이라고 생각하는 지렁이는
싹뚝!
그거 먹고 떨어져!

나름대로 생활에 적응하고 있잖아?
꼬리가 자랄 때까지 쉬고 있어.

그리고 현재 존재하는 수많은 하등 형태의 생물들이
말거머리
말미잘
성게

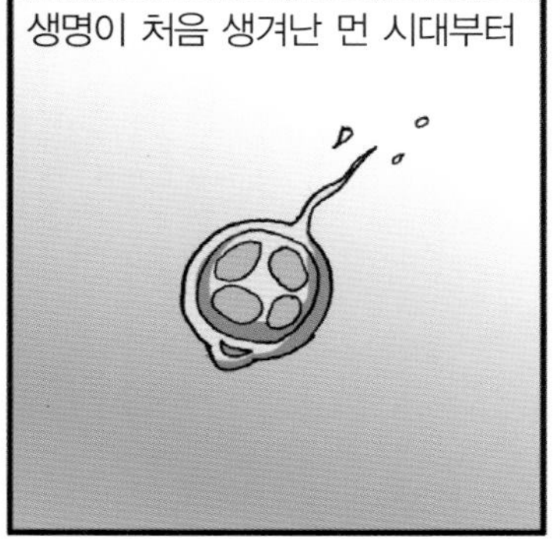
생명이 처음 생겨난 먼 시대부터

지금까지 조금도 발달하지 않았다고 속단하는 것은 지나쳐.
속으론 얼마나 발전했다구요.

오늘날 지극히 하등한 위치에 있는
나는 빛을 밝혀.
발광 해파리

생물을 연구해 본 학자들이라면
해파리는 96퍼센트가 물이래.

누구나 경탄할 만한 그 미묘한 체계에 감탄했을 게 틀림없어.
건조시켰더니 부스러기만 남네.

모든 생물은 한 집단에 속해 있고
나는 조개 껍데기를 뚫고 먹이를 먹을 수 있지.

또 그 집단은 더 큰 집단에 속해 있지.
해파리
놀래기
해초
게
넙치
성게
해삼
말미잘

그리고 그 집단들은 서로 연결되어 있어.
너는 이 토종 아귀가 먹어 줄게.

이것은 한 그루의 거대한 나무에 비유할 수 있어.

싹이 트고 있는 초록색 가지들은 현재 지구 상에 존재하는 종을 나타내고

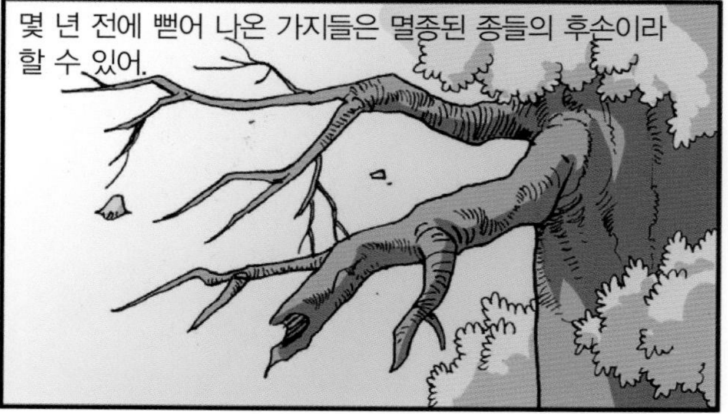
몇 년 전에 뻗어 나온 가지들은 멸종된 종들의 후손이라 할 수 있어.

작은 가지로 갈라져 나가는 큰 가지도

어렸을 적에는 겨우 움트기
시작한 어린 가지였겠지.

나무가 자라면서

한 나무에 난 가지들은 서로 옆에 있는
가지들과 경쟁했겠지.
햇살이
여기가
가장
잘 들어.
위로 더
올라가. 여긴
내 자리야.

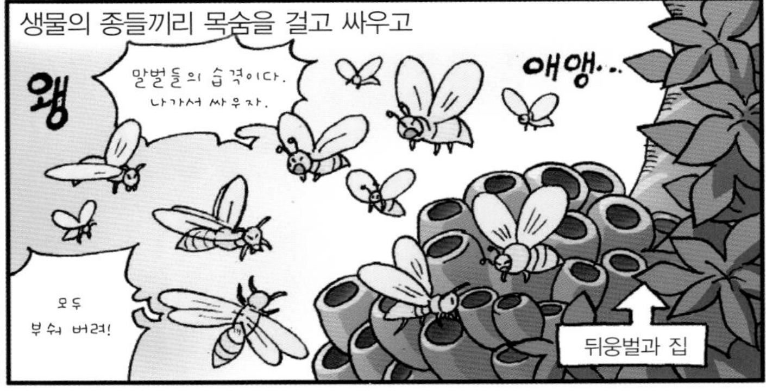
생물의 종들끼리 목숨을 걸고 싸우고
왱
말벌들의 습격이다.
나가서 싸우자.
애앵...
모두
부숴 버려!
뒤웅벌과 집

먹이 사냥에서 다른 종을 압도하고자 하는 것과 마찬가지야.

크앙

음메

컹

이 나무가 처음에
자라나서

지금에 이르기까지

수많은 가지와 줄기가 도중에 썩거나 부러졌겠지.

후손을 남기지 않고 멸종한 종들은

화석으로 그 일부나마 알 수 있지.
시조새의 화석

우리는 이따금씩 두 가지가 갈라져 나가는 곳에서

가느다란 가지가 겨우
뻗어 나가

살아남는 것을 보게 돼.
경쟁하는 두 가지 사이에서 두 장점을 가지고 나온 거야.

이런 가지는 오리너구리나 비버처럼 두 개의 커다란 생물 무리를 부분적으로 연결하는
장점들을 최대한 살린 거지.

생물들을 나타낸다고 할 수 있어.
도롱뇽

이들은 보호받을 수 있는 장소에 살면서 치명적인 경쟁을 모면할 수 있었겠지.
경쟁이 줄어서 유리한 거야.

움튼 새순이
자라

다시 새순을 낳고

그중 튼튼한 것들이 가지를
치듯

생명의 큰 나무는 세대를 거듭하여 새로운 가지치기로 스스로를 가꾸고 있음을 나는 믿어.

진화론의 두 기둥 - 자연선택 이론과 생명의 나무

생물의 진화 방향은?

다윈이 말하는 자연선택에 의한 진화론의 핵심적인 내용을 최대한 요약하면 과잉 생산, 변이, 생존 투쟁, 번식 성공 등 네 단어로 줄일 수 있을 거야. 생물들은 과잉으로 많이 태어나는 경향이 있어서 서로 경쟁해야 하는데, 서로 다르기 때문에 환경에 적응을 잘한 개체만이 살아남아서 자손을 번성시킨다는 이론이지. 아주 단순하지? 이러한 단순한 원리를 다윈 이전에는 아무도 몰랐다니 놀랍지? 법칙이란 알고 보면 단순한 거야.

자연선택의 개념을 완성한 다윈의 다음 고민은 생물이 어떤 방향으로 진화하는가 하는 문제였어. 이 문제에 대해 다윈은 무척 고민했는데, 어느 날 마차를 타고 가다가 순간적으로 답을 얻었다고 해. 이것이 바로 '생명의 나무'로 표현이 되는 '분기의 원리'지. 분기(分岐)라는 말은 나뉘어 갈라진다는 뜻이야. 어떤 사람들은 다윈의 진화론을 떠받치는 두 개의 기둥인 자연선택과 생명의 나무라는 개념 중 생명의 나무가 더욱 혁명적인 사상이라고 평가해. 생명의 나무라는 개념을 통해서 같은 근원에서 내려온 생명들이 변화를 거치면서 특성이 갈라져 나가는 경향을 알 수 있어.

진화와 진보는 달라

이처럼 진화는 한 방향으로만 이루어지지는 않아. 실제로는 새로운 자연환경에 적응하는 방식이 훨씬 다양할 거야. 적응하는 방식은 여러 가지일 테니까. 이처럼 하나의 조상에서 여러 갈래로 분화해 가는 과정이 바로 분기의 원리야. 이 분기의 원리를 이해하면, 거꾸로 많은 생명들의 조상들을 계속 거슬러 올라간다면 결국에는 하나의 공통 조상을 만나게 된다는 사실도 쉽게 수긍이 가겠지. 이것을 잘 이해하지 못하는 사람들은 진화를 진보와 같은 것으로 오해하지. 진화는 낮은 형태에서 높은 형태로 발전하고 인간이 그 꼭대기에 있다는 진화적 진보 개념은 지금도 흔히 볼 수 있는 오류야. 사람의 진화 과정을 표현하는 그림을 봐. 하나같이 엉거주춤한 원숭이가 다리가 길어지면서 머리도 커지고 허리를 꼿꼿이 세우면서 마침내는 똑바로 걸어가는 모습이잖아? 이것은 인류 진화의 진짜 과정이 아니야. 현재의 원숭이는 결코 현재의 인간이 될 수 없어. 왜냐하면 이미 오래전에 원숭이와 인간으로 나뭇가지 갈라지듯이 갈라졌기 때문이지. 그리고 생명의 나무에서 가지 끝에 있는 모든 종들은 자신이 살고 있는 환경에서 잘 적응해서 살고 있는 성공적인 종이야. 인간은 그중 하나일 뿐이지.

구스타프 클림트 〈생명의 나무〉

제7장 변이의 법칙

변이는 우연히 생긴다기보다는
엄마 왜 저만 까만 가요?
글쎄다….

원인을 확실히 알 수 없다고 해야 할 것 같아.
좀 더 공부해 보자.

그런데 변이가 자연 상태에서보다는 사육 · 재배되는 생물에게서 더 많이 발생하고
참! 네 모습 가관이야. 밥은 먹고 다니냐?
어머!

서식지가 넓은 종이 좁은 종보다 변이성이 더 크다는 사실을 보면
얘! 넌 어느 별에서 왔니?
난 그냥 지구에 사는 쥐일 뿐야.

각각의 종이 몇 세대를 거듭하는 사이에
니야옹
할아버지 세대
우걱
옛날엔 고생했구나.

접하는 생활 상태와 관련이 있는 것으로 보여.
으-악! 깜짝이야! 너 넌 누구냐?
어쭈~ 이젠 쥐도 못 알아보네~ 쯔쯧!

남쪽 바다의 얕은 물에 사는 조개들은

대개 북쪽 바다의 깊은 물에 사는 조개들보다 색깔이 더 밝아.

또 해안에서 자라는 식물들은 잎이 더 두껍지.

같은 종의 동물이라도 살고 있는 지역의 기후가 나쁠수록
날씨가 추울수록….

질이 좋은 따뜻한 모피를 제공해.
내 두꺼운 털은 눈보라도 끄떡없어.

왜 이런 차이가 생기는 것일까?

환경 조건 때문일까?

아니면 수세대에 걸친 자연선택 때문일까?

이것을 판단하기는 거의 불가능해. 하지만 변이에 끼치는 원인 몇 가지는 알 수 있지.

가축이 어떤 기관을 자주 사용하면 그 기관은 크고 강해지지만
이 정도쯤이야!

사용하지 않으면 약해지지.
멍~
너~ 커서 뭐가 될래?
엉?

어떤 변화는 다음 세대에 유전될 거야.
메리!
여보, 주인님이 부르는거 같은데….
나는 안 들리는데.
부전자전….
쿨

나는 그런 예를 몇 가지 발견했어.

남아메리카의 바다거북오리는 수면 위로 날개를 치며 날 수 있을 뿐
에고~ 날아 본 지가 오래라.
철퍽
철퍽

날개의 상태는 집오리와 거의 비슷해.
야생 오리가 날지도 못하니?
섬은 안전해서 날 필요가 없어.

이 새는 어릴 때는 날 수 있지만 다 성장하면 나는 힘을 잃게 되지.
엄마도 날아 봐요.
뭐 하러?

땅에서 먹이를 구하는 커다란 새는
귀찮게 왜 날아 다녀.

위험을 피할 때 외에는 거의 날지 않으므로
놀라라.
까꿍
폴짝

맹수들이 살지 않는 바다 한가운데 있는 섬에 사는 새들은

세대가 거듭되면서 날개가 점점 작아졌을 거야.
위에서 뭐 해?
맹수도 없고 천적도 없네.
이 섬에서 대대로 살아야지.
날개를 헤엄치는 데 사용하자.

실제로 타조는 대륙에 살고 있지만
야~! 타조야 놀자.

네발 동물처럼 발길질을 해서 적의 공격을 막아.
까불어!
퍽!
퍽!

타조의 먼 조상은 들기러기와 같은 습성을 지니고 있었는데
조상님들은 날았구나.

세대를 거듭함에 따라
그러니까 먹이는 땅에서 찾아.
에고 힘들다.

자연선택이 몸의 크기과 무게를 증가시켜 다리가 많이 사용됐고

날개는 그다지 사용하지 않아서 결국 날 수 없게 됐다고 생각해.
?

맛있니?
누구세요?
두더쥐나 설치류의 눈은 완전하지 못해.

땅속은 캄캄해서 거기에 사는 동물들은 굳이 눈을 쓸 일이 없었겠지.
오늘따라 예쁘네.
보이기는 하는 거예요?

그래서 눈의 크기가 점점 작아지고 눈꺼풀이 서로 달라붙어 그 위를 털이 덮어 버렸을 거야.
안 보여도 맘으로 느낄 수 있는 거야.
호호~ 그래요….

모든 종은 자신이 살고 있는 지역의 기후에 적응해서 살아.

따라서 극지방에 사는 생물은 열대 기후를 견디지 못하고
북극여우
후~아 덥다.
도저히 못 살겠다.
바다코끼리

열대 기후에 사는 생물은 극지방의 기후를 견디지 못할 거야.
여기서 어떻게 살까
으~ 에취!
안경원숭이
가분살무사

하지만 꼭 그런 것만은 아니야.
예외도 있어.

같은 목에 속하는 다른 종들이 더운 지방과 추운 지방 양쪽에 다 사는 경우도 있어.
나는 북극.
나는 아프리카.
사향소
들소

이런 종들은 여러 세대를 거치면서 각각의 기후에 적응해 왔겠지.
밤에만 외출하지.
야행성키위

오래 전에 온대 지역에 살던 동물들이 한대나 열대 지역으로 서식지를 확장한 경우도 많아.
남아메리카

대표적인 예가 쥐야.
우리가 못 가는 곳은 없어.

쥐는 인간에 의해 각지로 옮겨져
대륙으로 진출한다.

지금은 세계 어디서나 볼 수 있게 되었지.
쥐가 너무 많아!
우리도 바글바글 들끓어.
찍

동물들이 자신이 태어난 지역뿐 아니라

다른 지역에도 잘 적응하는 건
후~ 멀다.

태어날 때부터 기후에 대한 유연성을 지니기 때문이야.
어려서부터 더위에 익숙해져야 해. 헛둘, 헛둘!

하등한 생물은 고등한 생물보다 더 변이하기 쉬워.
나는 단순해서 변신하기 쉬워.

하등하다는 것은 생물의 기관이 기능별로 분화되지 않고 하나의 기관이 여러 가지 기능을 한다는 뜻이야.
정말 편리하게 이루어졌어.

비유적으로 설명해 보면
종의 기원

물건을 자를 때 쓰는 칼은

뭘 자르냐에 상관없이 하나의 칼로 충분하지만
싹둑
싹둑

특정 목적을 위한 도구는 목적에 맞게 특수한 기구를 갖춰야 해.
윙
윙
윙

마찬가지로 생물도 환경에 더 잘 적응하기 위해

정해진 기능을 담당하는 기관들이 하나 둘 늘어나겠지.
댕기흰죽지 수컷

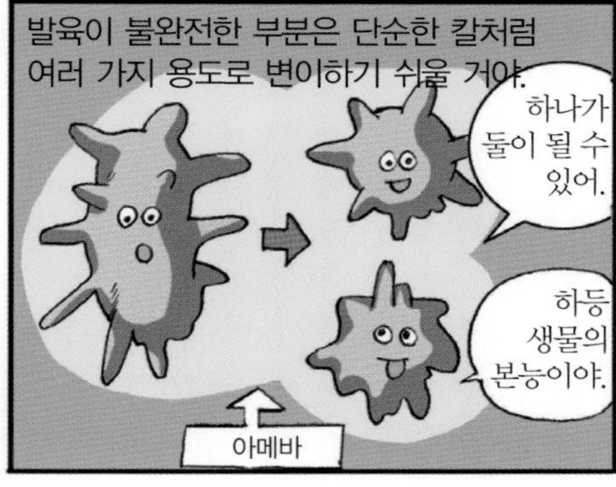
발육이 불완전한 부분은 단순한 칼처럼 여러 가지 용도로 변이하기 쉬울 거야.
하나가 둘이 될 수 있어.
하등 생물의 본능이야.
아메바

어떤 종의 신체 한 부분이 같은 속의 다른 종에 비해 유달리 발달했다면
어~ 꼬리가 물갈퀴네.
물에서 생활하기 위한 거야.
아메리카 비버

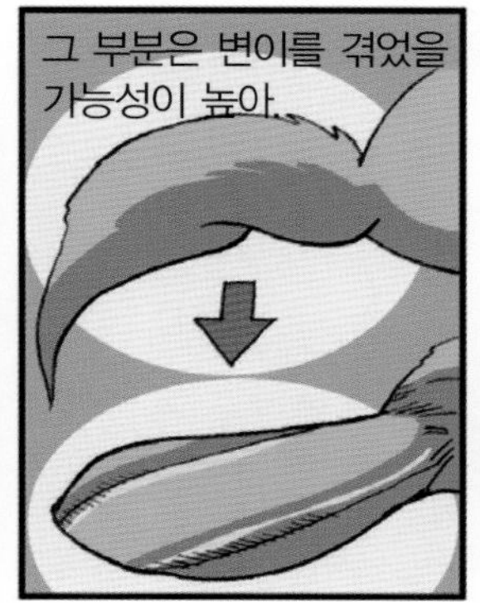
그 부분은 변이를 겪었을 가능성이 높아.

그리고 종의 형질이 속의 형질보다 더 변이하기 쉽지.
변이가 쉽대.

그것이 무슨 뜻인지 간단한 예를 들어 설명해 볼까?

어떤 큰 속에 속하는 식물의 몇몇 종이 푸른 꽃을 피우고

또 몇몇 종은 붉은 꽃을 피웠다면

그 빛깔은 종의 형질이야.

그래서 푸른 꽃을 피우는 종 가운데
하나가 붉은 것으로
변했다든가
왜 나만 색이 달라?

또는 그 반대의 경우가 일어났다
할지라도 별로
이상하지
않지.
색깔만 좀 다르지 모양은 같아.
그래.

하나의 속에 속하는 모든 종에게 어떤 공통점이
있을 때 이를 속의 성질이라 하지.
속
우리는 같은 속.
날개의 점이 공통 점이야.

속의 형질은 여러 종이 공통
조상에서 처음으로 갈라져 나오기
전부터 유전되어
종1
종2
종3
공통 조상

여러 종으로
분화돼도 거의
변이하지 않지.

따라서 속의 형질들이 오늘날
변이할 가능성은 아주 낮아.
으르릉
저러는 건 속의 형질일까?

하지만 종의 형질들은 종들의
공통 조상으로부터 갈라져 나온
이래로 변이하여 달라진 것이기
때문에
공통 조상
종의 변이

앞으로 변이할 가능성이 높다고
할 수 있지.
?
내 후손들은 앞으로 어떤 모습으로 변할까?

보통 우리가 어떤 부분이 특별히
발달된 것을 보았을 때
꿀새
이 긴 부리는 변이를 거듭한 결과야.

그것이 그 개체나 종의 생존에
매우 중요하다고 여기는 것은
당연하겠지.
맛있는 것도 먹을 수 있고.

하지만 그 부위는 그 중요성만큼이나
변이성이 크다고 할 수 있어.
부리가 변이될 수도 있어.
헉! 그럼 어찌 살라구요?

이것이 무엇을 의미할까?

생존에 중요한 부위가 변이를 일으키기가 쉽다는 것은 서로 모순되는 것처럼 보여.
내 자식들은 맛있는 꿀을 못 먹을지도….

생존에 중요한 특징이라면 변해서는 안 되니까.
송곳니가 없으면 그게 사자야?

이처럼 모순된 상황은 창조론으로는 설명이 불가능하지만
하느님! 전 영원히 사자인 거죠?

각 종이 진화해 왔다는 것을 알면 이해하기가 쉬워져.
내 조상들은 날 수 있었을까?

전혀 다른 비둘기 품종이 유사한 변이를 보이는 경우가 있는데,
엥?
줄무늬가 같아.

이 변이는 서로 다른 품종으로 갈라지기 전 공통 조상으로부터 물려받은 성향이었겠지.
공통 조상
조상이 같구나~
아!
자손

조금 다른 경우도 있어. 나는 비둘기를 연구하다가
점이 있구나.

어떤 형질들이 여러 세대 동안 사라졌다가 다시 나타나는 것을 발견했어.

비둘기의 모든 품종에서 때때로 날개에 두 개의 검은 줄무늬가 있고

꽁무니가 희며 꽁지 끝에 줄무늬가 있고

바깥 날갯죽지 가까운 곳의 바깥쪽이 흰 테두리로 쳐져 있는 새가 나타나는 것이 그 예야.

이것은 오래전 조상이 갖고 있던 형질이 다시 나타난 거야.

다른 사례도 있어. 당나귀 다리에는 얼룩말의 다리에서 볼 수 있는 것과 같은 가로 줄무늬가 나 있는 경우가 많아.

어깨의 줄무늬가 이중으로 되어 있는 것도 있어.

나는 영국과 중국, 노르웨이에서 말레이 제도에 이르기까지

다양한 품종의 말 가운데서 다리와 어깨에 줄무늬가 있는 사례를 수립했지.
중요한 단서인가요?

그 결과 세계의 모든 지역에서 이 줄무늬는

암갈색 말과 회갈색 말에서 가장 흔하게 나타난다는 점을 알게 되었어.

그리고 이러한 경향은 주로 잡종에서 나타났어.
잡종일수록 변이해서 살아남아야죠.

이런 현상은 어떻게 해석해야 할까?

나는 수백만 세대를 거슬러 올라가면
과거

구조는 매우 달라도 얼룩말처럼 줄무늬가 있는 동물을 볼 수 있으리라 생각해.
저는 왜 찾으셨어요?

그 동물은 말과 당나귀, 얼룩말의 공통 조상이겠지.
공통 조상
경주마예요.
내 후손들 ….

한 품종에서 사라진 어떤 형질이

오랜 세대 동안 나타나지 않다가

갑자기 나타날 때가 있는데
너는 생긴 건 같은데 색깔이 빨갛네.
변이했어.

이것은 여러 세대 동안 그 형질이 숨어 있다가
다윈은 몰랐지만 그건 내 유전자에 숨어 있었지!

알 수 없는 조건에서 드러났다고 설명할 수 있지.
꿀맛도 다른 걸까?

지금까지 변이의 법칙에 대해서 설명했지만
변이의 법칙

이 법칙에 대해서 우리는 아직 아는 것이 거의 없다고 인정해야 해.
?

자손과 부모가 차이가 나는 원인은 분명히 있겠지만 우리는 아직 그 원인을 몰라.
넌 왜 아빠처럼 자라지 않니?
아빠 맞아요?

그러나 비록 그 원인은 잘 모르지만
뭐가 문제야?
다윈도 모른대요.

부모와 자손 사이에는 분명 변화가 있었고
나름 살 길을 찾아야지 뭐.

유익한 변화가 세대를 거듭하면서 누적되어

각 종의 습성과 관련된 구조적인 변화를 만들어 냈다고 말할 수 있는 근거는 갖고 있어.
유익한 변화 1
+
유익한 변화 2
⋮
||
구조적 변화
종의 기원

진화론과 유전학

변이의 법칙과 한계

다윈이 《종의 기원》 초판에 진화라는 말 대신에 사용했던 '변형의 유전'이라는 말은 다윈이 말하는 진화의 본질을 그대로 드러내는 것이라고 할 수 있어. 어떻게 보면 변이가 어떻게 유전되는가를 설명한 것이 자연선택 이론인 거지. 그만큼 변이의 법칙을 밝히는 것은 중요해. 그래서 다윈은 자기 이론의 핵심 내용을 1장에서부터 4장까지 이야기하고, 5장부터는 그것을 뒷받침하는 근거를 밝히고 있는데, 그것의 시작이 변이의 법칙에 대한 설명이야. 그러나 변이의 법칙에 대한 다윈의 주장은 설득력이 약해. 이는 다윈 스스로 변이의 법칙을 정확하게 이해하지 못했기 때문이야. 겸손한 과학자였던 다윈은 자신의 한계를 깨닫고 5장 곳곳에서 자신이 잘 모른다는 점을 인정하고 있어.

혼합설

부모로부터 자손에게 전달되는 신체의 모양, 크기, 성질 등을 형질이라고 해. 부모의 형질이 자손에게 전달되지만 자식이 모두 부모를 닮는 것은 아니야. 다윈 이전부터 사람들은 이미 경험적으로 이러한 사실을 알고 있었지. 그런데 생물의 형질은 유전뿐만 아니라 환경에 의해서도 영향을 받기 때문에 유전과 환경의 영향을 분리하여 유전 현상을 정확하게 설명하기는 쉽지 않아. 그래서 사람들은 부모의 형질이 자손에게 섞여 나타난다고 믿었어. 이를 혼합설이라고 해.

다윈도 혼합설을 믿은 것 같아. 혼합설에 따르면 모든 변이가 섞여서 사라질 것이므로 자연선택이 작용할 여지가 없어져 버리지. 그래서 다윈은 생물이 살아 있는 동안 얻은 형질이 유전되어 변이가 계속 유지된다는 설명으로 이 문제를 풀려고 했지.

엄마, 아빠와 다른 이유

자연선택이 작용하는 대상인 변이와 관련된 유전 현상을 설명한 사람은 멘델이었어. 그는 연구 결과를 1866년 브륀의 자연사 학회 신문에 '식물 잡종에 관한 실험'이라는 제목으로 실었지만 당시에는 아무런 반응도 일으키지 못했어. 그때가 다윈이 《종의 기원》 4판을 발행할 즈음이지. 다윈은 여러 학문적인 성과에 겸손하고 개방적이었지만, 당시에는 단지 아마추어 학자에 불과했던 멘델의 업적을 제대로 평가하지는 못했어. 당시 과학자들은 멘델의 논문을 대단히 중요한 발견이라기보다는 새롭고 흥미로운 발견 정도로 간주했던 것 같아.

멘델의 법칙과 이후에 발달한 유전학의 발전으로 현재 밝혀진 바에 따르면 유전되는 변이는 유전적 변이인데, 돌연변이와 생식 때의 유전자 재조합의 과정에 의해서 일어난다고 해. 돌연변이는 유전자 서열의 변화를 의미하고 유전자 재조합은 생식 세포가 분열할 때 염색체가 조금씩 뒤섞이는 현상을 말하지. 우리는 엄마, 아빠의 유전자를 대부분 이어받기 때문에 많이 닮지만 돌연변이와 유전자 재조합 때문에 조금씩 다른 거야.

제8장 자연선택 이론의 문제점

말레이가죽날개원숭이

의문점이 많을 텐데 잘 따라와 주었어.
이해가 잘 안 되는 부분은 설명해 줄게.
종의 기원
찰스 다윈

의문점은 아마 네 개로 나뉠 거야.
의 문 점
첫째 :
둘째 :
셋째 :
넷째 :

첫째, 생물 종이 변화하고 있다면
나라고 만날 기나?

종과 종의 구분이 희미해질 텐데
넌 무슨 종야?
헷갈려.
몰라.
누가 위야?

현재 종과 종의 구분이 그토록 명확한 이유는 무엇인가?
난 너구리란 종이야.
난 원숭이.
나… 난 몰라.

그리고 어떤 종이 여러 단계를 거쳐 점진적으로 다른 종으로 변화했다면
제가 코씨라는 건 알죠?

왜 그 과정에서 나타난 수많은
중간 형태를 관찰할 수 없을까?
진화
?
중간 형태
할아버지는
있는데 아빠가
안 보이네.

둘째, 박쥐와 같은 독특한
구조와 습성을 가진 동물이

그와는 전혀 다른 동물들로부터
형성될 수 있는가?
나랑 같은
조상인가?

또한 자연선택이 눈과 같은
중요한 기관을 만들고

동시에 꼬리처럼 별로 중요하지
않은 기관도 만든다는 게
가능한가?
내 꼬리가
어때서.

셋째, 본능은 자연선택에 의해서
생성되거나 변화될 수 있는 것인가?
밖은
위험하니까
엄마 품에
꼭 있어.
네.

넷째, 서로 다른 종이 교배하면
오빠
믿지?
몰라용~!
얼씨구

불임이 되거나 불임인 자식을
낳는데
내
아들은?
그게 맘대로 돼?

변종이 교배할 경우 새끼를 낳을 수 있는
이유는 무엇인가?
엄마!
오냐, 내 새끼.

우리가 과도적인 중간 형태를
보기 힘든 이유는
조상
중간
종

자연선택 그 자체가 끊임없이
중간 단계를 제지해 오기
때문이야.
꽁
자연
왜 나만 때려!

자연선택은 오직 유리한 변이만
보존한다는 이야기지.
부럽다.

따라서 새로 생겨난
변이형들은

자기보다 개량이 덜 된 형태들을
몰아내는 경향이 있어.
여긴 내 구역이야. 저리 가.
살기 어려워, 흑흑….

비슷한 형질을 가진 그룹들은 같은 자원을 가지고
치열하게 경쟁하기 때문에 유리한
그룹만 살아남게 돼.
내 이빨에 혼나고 싶어?
나도 이는 있는데.

바로 이 때문에 새로운
변종이 생겨 완성되면
나, 짱!

그 조상과 이전의 다른 변종들은
모두 사라지고 말아.
완성된 변종만이 살아남지.

멸종과 선택은 항상 동시에 발생하는 거야.
자연선택이 승자의 손을 들어 주는 거야.
win
KO

그렇다면 지금까지 진화 과정에서
존재했을 수많은 종들이 화석으로
발견되지 않는 까닭은 무엇일까?

그것은 기록이 완전하지
못하기 때문이야.

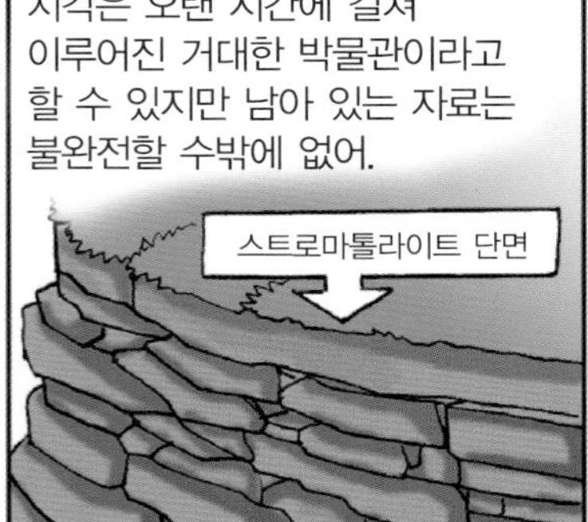
지각은 오랜 시간에 걸쳐
이루어진 거대한 박물관이라고
할 수 있지만 남아 있는 자료는
불완전할 수밖에 없어.
스트로마톨라이트 단면

그런데 혈연이 아주 가까운 몇몇 종이 현재 같은 지역에 서식하고
있는 경우에는
밍크
재규어
코요테
여우

지금이라도 이행 형태를 확실히 발견할 수 있어.
변이된 종의 중간을 말하는 거야.

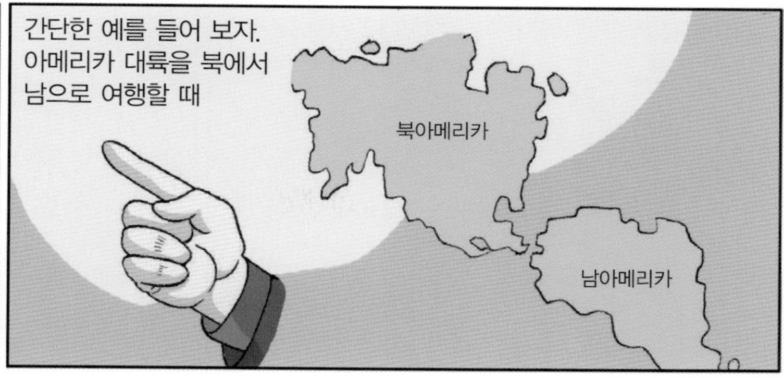
간단한 예를 들어 보자. 아메리카 대륙을 북에서 남으로 여행할 때
북아메리카
남아메리카

우리는 아주 가까운 여러 종들이 같은 지역을 차지하고 있는 것을 볼 수 있었어.

그들은 같은 장소에서 자주 만나고 무리를 지어 같이 생활하지.
자주 만나네.
여긴 어쩐 일!

그런데 한 그룹은 점점 숫자가 줄고
형들은 어디 갔니?
저 혼잔데요.

다른 그룹은 점점 많아져서
번호!
하나
둘

결국 한쪽이 다른 쪽 영역을 빼앗아.
잘 가.
잘 먹고 잘 살아라.

이들은 같은 조상으로부터 태어났지만
조상
자손
자손

변화가 진행되는 동안 나타났던 다른 변종들을 몰아내는 거야.
뻥!

따라서 많은 중간 변종이 존재하긴 하지만 아무 데서나 볼 수는 없는 거야.

둘째 의문은 어떤 형태와 구조가 어떻게 전혀 다른 구조로 바뀔 수 있는가 하는 문제라고 할 수 있어.
여기가 내가 사는 집이야.
아메리카 비버

예를 들어 물에서 사는 생물이

어떻게 육지에서 사는 생물로 변했는지
이제부터 육지에서 살자.

혹은 그 반대는 어떻게 이루어졌는가에 대한 문제야.
육지에서 물로 옮긴 예지.

내 의견에 반대하는 사람들은 질문을 하지.
질문이오!

예를 들어 육지에 사는 육식 동물이 어떻게 물에서 사는 습성을 가질 수 있었냐고.
나는 물이 싫은데.

그리고 그 이행 단계의 동물은 어떻게 살았냐고.
육지와 물을 동시에 사랑하게 됐어요.
찰박

그런데 육지에서만 사는 생물과 물속에서만 사는 생물의 중간 단계 생물이 현존하고 있어.
그게 어떤 동물이죠?

바로 아메리카 밍크지.
내 털가죽을 또 노리는 게야?

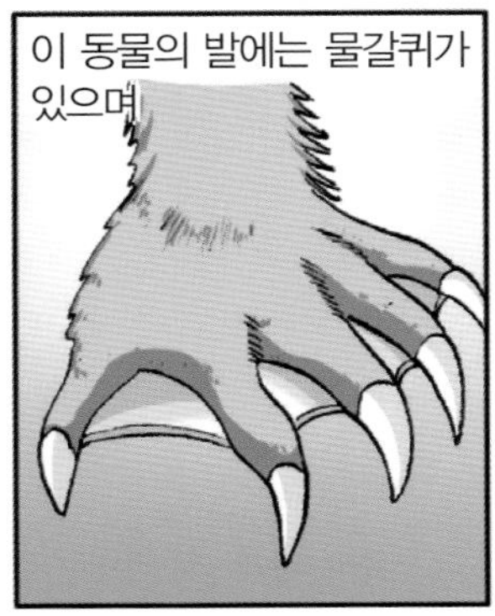
이 동물의 발에는 물갈퀴가 있으며

털가죽과 짤막한 다리, 꼬리 모양이 수달과 비슷해.
난 밍크야.
사촌이네. 난 수달이야.

여름철에는 물속에서 물고기를 잡아먹지만

겨울철에는 꽁꽁 얼어붙은 물을 떠나 족제비처럼 생쥐나 육지 동물을 잡아먹어.
그냥 물에 계속 사시지!

곤충을 잡아먹는 네발 짐승이

어떻게 박쥐로 변할 수 있느냐고 묻는 사람도 많았지.

하지만 이것도 그리 어려운 질문은 아니야.
다람쥣과를 한번 생각해 보자.

다람쥣과의 동물들은 꼬리가 약간 납작한 것에서부터 몸 뒷부분이 넓고 옆구리 뱃가죽이 꽤 볼록한 것, 네 다리와 꼬리가 넓게 퍼진 피부로 이어져 낙하산 구실을 하는 것까지 형태가 다양해.

낙하산처럼 피부가 넓게 퍼진 날다람쥐는 나무와 나무 사이를 날아다니며
쉬이잉

새와 맹수의 공격을 피할 수 있고
고생고생해서 여기까지 왔는데 날아가는 법이 어딨어! 앙

먹이를 더 빨리 모을 수도 있지.
이 정도면 겨울 식량은 충분하겠어.

또 어쩌다가 땅으로 떨어지는 위험을 줄일 수도 있어.
켁!
조심해.

생존하는 데 매우 유익하겠지.

그래서 나는 옆구리의 피부가 점점 넓어지는 것이 쓸모가 있어서
팔다리 벌려 봐!
나는 아주 특별해!

그런 개체들이 보존되고
언젠가는
저 나무 사이를
자유롭게
날 수 있겠지.

수많은 세대를
지나는 동안

마침내 완전한 날다람쥐가 생겨났을
거라고 생각해.
이제 완전히
날 수 있어!

이제 과거 박쥐로 잘못 분류되었던
가죽날개원숭이에 대해 살펴보자.

이 동물은 턱 밑에서부터
꼬리까지 펼쳐진 옆구리의
날개막이

긴 발가락이 달린 네 다리를
감싸고 있으며

더욱이 이 옆구리 날개막에는
신축성 있는 근육도 붙어 있지.

나는 가죽날개원숭이들이 지금은 비록 다양할 정도로 공중을
활공하기에 적합한 구조를 가진 친척들과 연결되어 있지 않지만
선조들은
자유로이 날아
다녔을까?

과거에는 그런 중간 형태들이
존재했으며
조심!
조심!

그들도 활공 능력이 불완전한 다람쥐에서
볼 수 있는 것과 같은 단계를 거쳐서
생겨났을 거라 생각해.
몇 세대만
지나면
….
힘내
친구.

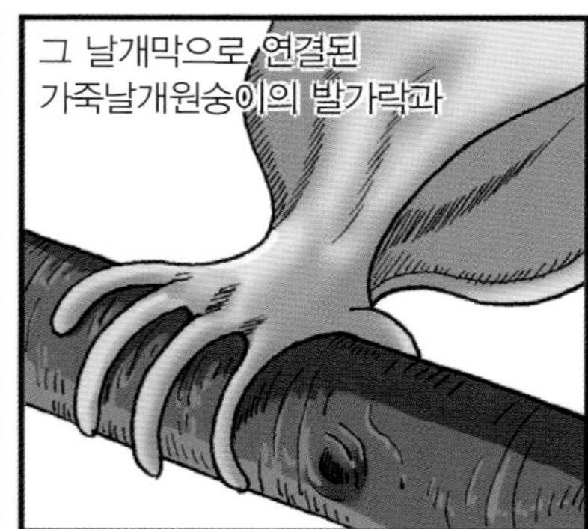
그 날개막으로 연결된
가죽날개원숭이의 발가락과

앞발 부분은 자연선택에 의해
매우 길게 늘어나겠지.

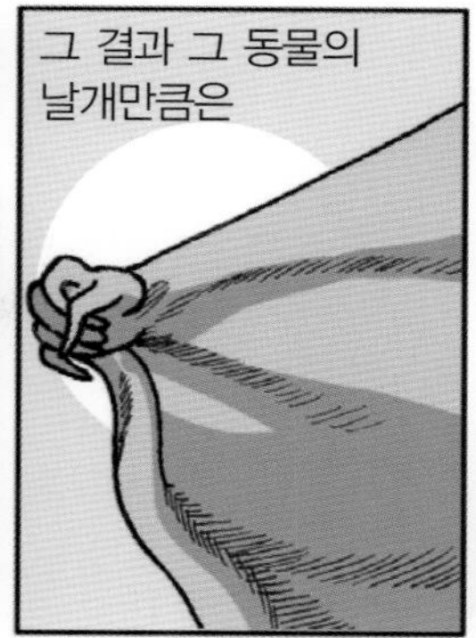
그 결과 그 동물의
날개만큼은

분명 박쥐와 같은 것으로 변할 수 있었을 거야.
근사한데.
촤
아

그러면 여기서 같은 종의 개체 사이에
다양화되고 변화하는 습성의 예를
살펴보자.
습성이란
생활 방식과
비슷한
의미야.

영국에서는 커다란 박새가
작은 새의 머리를 쳐서
죽이기도 하는데
콱
콱
으악! 왜
그래요?

이것은 때까치의 습성이야.
으아~ 집단
폭행이다.

또 나뭇가지 위에서 나무 열매를
쪼아서 깨트리기도 하는데
콕
콱

이것은 동고비의 습성이지.

북아메리카의 흑곰은 입을 쩍 벌리고
몇 시간이나 헤엄을 치면서 곤충을 잡아먹는
것이 관찰되었는데

이런 행동은 고래한테서나 볼 수 있는 습성이지.

이처럼 각자 종이 가지고 있는 고유한 습성과는
다르게 살아가는 개체들을 볼 때
털~
털~
나는 아빠를
닮았나요?

우리는 그런 개체들이 결국에는 구조와 습성이 다른 종으로 갈라질 것이라고 예측할 수 있지.

그런데 습성이 먼저 변하고 구조가 다음에 변하는 것인지
그건 그때 그때 달라요.

아니면 구조가 먼저 변하고 이에 따라 습성이 변하는지는 뭐라 결론짓기 어려워.
구조를 바꿨으니 물에 사는 습성을 길러 볼까!

그런데 그것은 그다지 중요한 문제가 아니야.
사소한 것에 목숨 걸지 마.

아마도 이 둘은 거의 동시에 변하는 것으로 보여.

많은 사람들이 내 이론을 반박할 때 눈을 예로 들어.
그래요. 눈이 문제요.

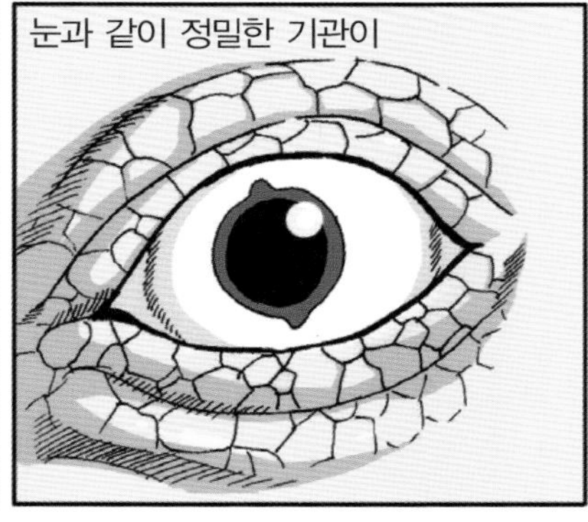
눈과 같이 정밀한 기관이

자연선택에 의해 완성되었다는 것은 도저히 말이 안 된다는 거지.
이렇게 정밀하니 오직 신만이 하실 수 있었을걸!

하지만 나는 눈도 다른 기관과 마찬가지로 단순하고 불완전한 상태에서

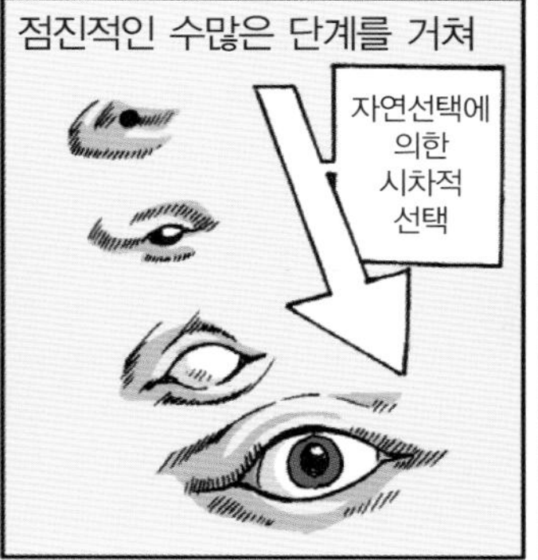
점진적인 수많은 단계를 거쳐
자연선택에 의한 시차적 선택

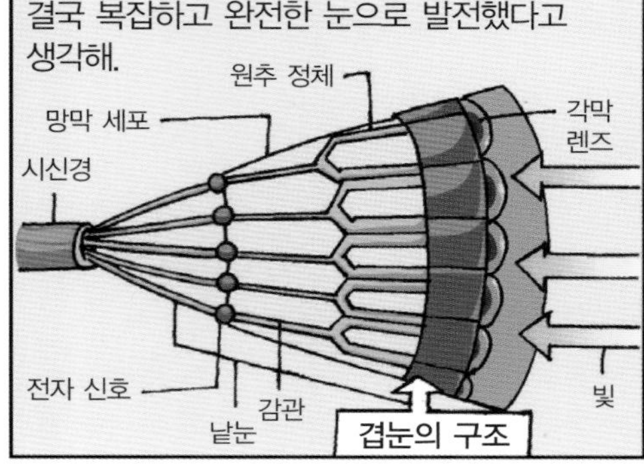
결국 복잡하고 완전한 눈으로 발전했다고 생각해.
원추 정체
망막 세포
각막
렌즈
시신경
전자 신호
낱눈
감관
빛
겹눈의 구조

그리고 각 단계는 모두 동물에게 유익한 방향을 향했겠지.
네눈박이송사리
물위와 물속을 동시에 볼 수 있어.

어떤 기관이 완성되기까지 생물이 거쳐 온 단계들을 추적하려면
찌직~!
나는 전기를 발생시키지.
엘리펀트 노스피시

그 종의 조상들을 두루 살펴봐야 하겠지. 하지만 이 작업은 거의 불가능해.
자료가 턱없이 모자라.

그래서 우리는 같은 집단의 다른 종과 속을 살펴보면서 그 과정을 유추해야만 해.

눈의 가장 단순한 형태는 한 개의 시신경으로 이루어졌겠지.
시신경

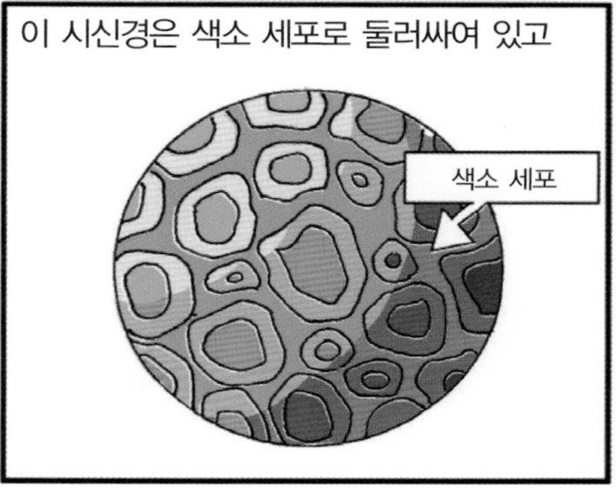
이 시신경은 색소 세포로 둘러싸여 있고
색소 세포

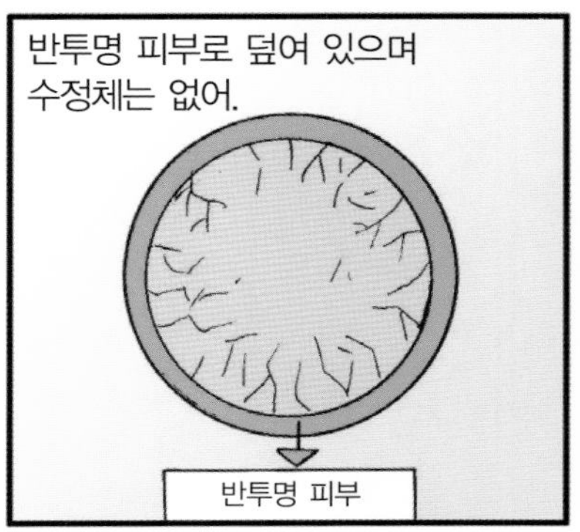
반투명 피부로 덮여 있으며 수정체는 없어.
반투명 피부

그러나 더 하등한 생물로 내려가면

신경이 전혀 없는 색소 세포의 집합체로만 되어 있는 눈을 볼 수 있는데

이러한 눈은 밝고 어두운 것만 구별할 수 있지.
아~ 날씨 한번 화창하다.

어떤 불가사리는 신경을 둘러싸고 있는 색소층에 작은 홈들이 있고

여기에 투명한 젤라틴 물질이 가득 차 있어.

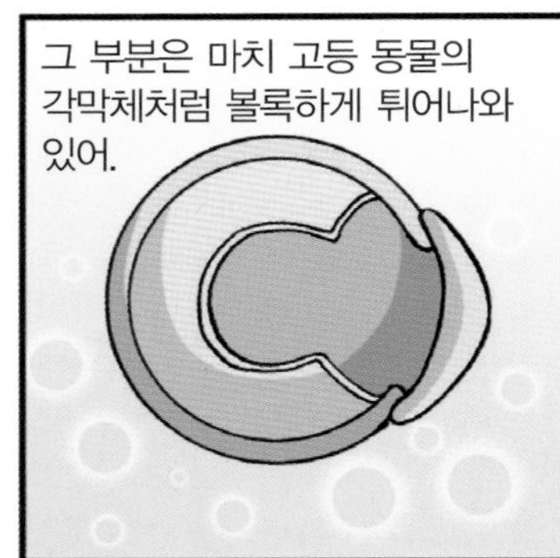
그 부분은 마치 고등 동물의 각막체처럼 볼록하게 튀어나와 있어.

이것은 영상을 만들지 못하고 광선을 한데 모아 물체를 훨씬 쉽게 감지할 수 있게 해 줄 뿐이지.

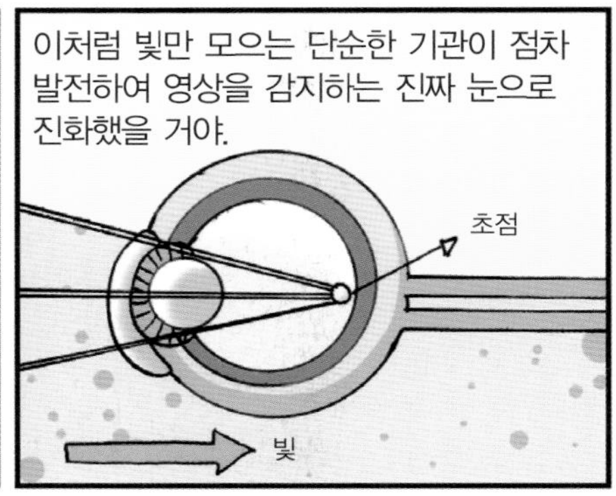
이처럼 빛만 모으는 단순한 기관이 점차 발전하여 영상을 감지하는 진짜 눈으로 진화했을 거야.
초점
빛

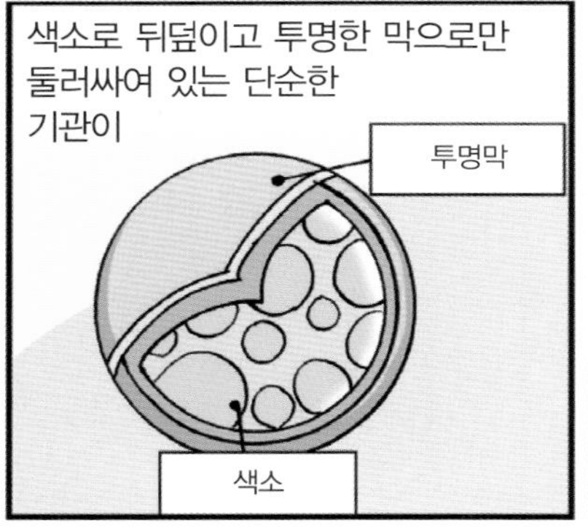
색소로 뒤덮이고 투명한 막으로만 둘러싸여 있는 단순한 기관이
투명막
색소

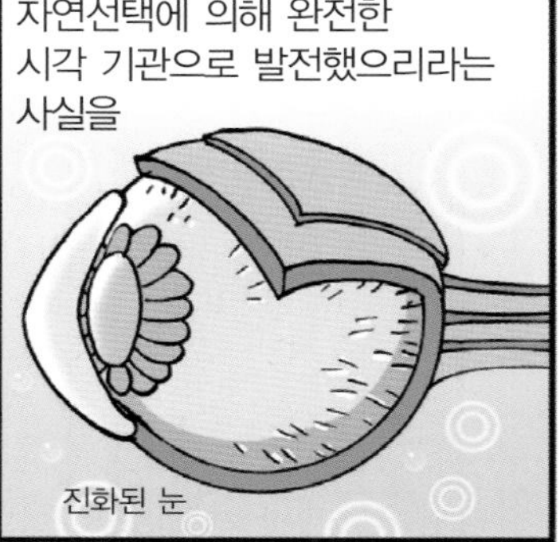
자연선택에 의해 완전한 시각 기관으로 발전했으리라는 사실을
진화된 눈

이제는 어렵지 않게 받아들일 수 있을 거야.
이제 알겠지?

하등 동물에서는 동일한 기관이 동시에 완전한 다른 기능을 갖고 있는 예를 많이 볼 수 있지.
몸의 구조가 워낙 단순해서요~

예를 들면 얼룩미꾸라지의 소화 기관은
두 가지를 동시에….

호흡과 소화, 배출을 모두 맡아 보고 있지.
더러워.
뽀로록
편하기만 한걸.

그리고 하나의 개체에서 두 개의 기관이 동시에 똑같은 기능을 하는 경우도 있어.
아~ 저요!

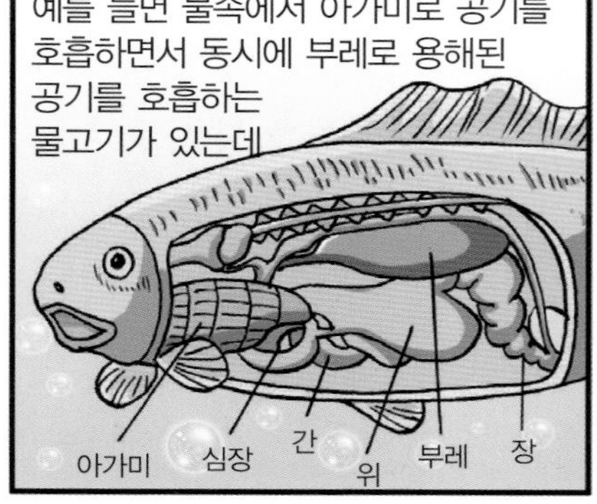
예를 들면 물속에서 아가미로 공기를 호흡하면서 동시에 부레로 용해된 공기를 호흡하는 물고기가 있는데
아가미
심장
간
위
부레
장

이 부레는 공기를 공급하기 위한 호흡 기관을 가지고 있지.
공기

식물에서 예를 든다면

식물이 위로 뻗어 올라가는 데는 세 가지 방법이 있어.

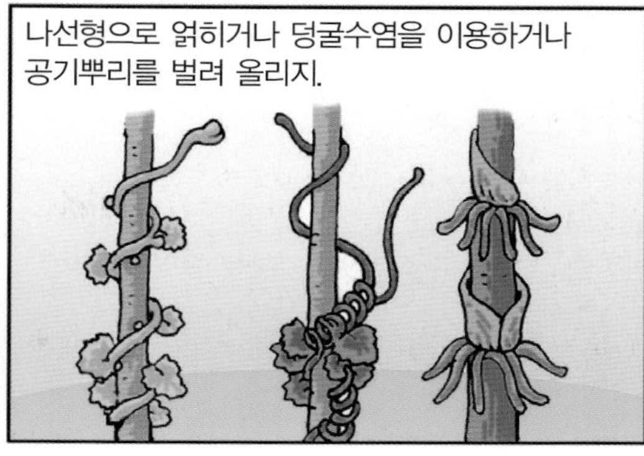
나선형으로 얽히거나 덩굴수염을 이용하거나 공기뿌리를 벌려 올리지.

이 세 가지 수단은 보통 각각 다른 그룹에서 발견되는 것이지만

몇몇 종은 두세 가지를 함께 가지고 있지.
가장 빠르고 튼튼한 방법을 찾아야지.

이런 경우 두 가지 기관 가운데 한쪽이 우세해지면서 결국에는 자기 혼자서 모든 기능을 하도록 변하고 말 거야.

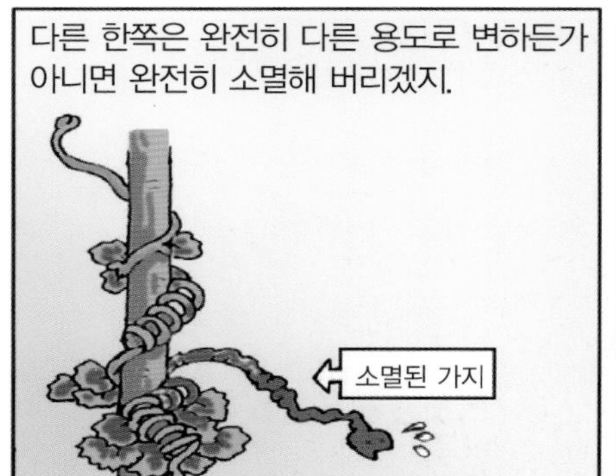
다른 한쪽은 완전히 다른 용도로 변하든가 아니면 완전히 소멸해 버리겠지.
소멸된 가지

물고기의 부레는 물속을 떠다니도록 하는 용도로 만들어진 기관이
부레
상승 작용

호흡이라는 완전히 다른 용도로 변화했다는 사실을 보여 주지.
호흡
호흡할 수 있는 기관으로 진화됐다.
공기

지금은 별 소용이 없어서 자연선택에 의해 생겨난 것이라고 보기 힘든 기관들도 많이 볼 수 있어.
내 꼬리는 조금씩 퇴화해.

이것들은 옛날에는 아주 중요했기에
조상한테는 소중한 꼬리였군요.

퇴화가 늦어져 지금까지 전해 내려왔다고 할 수 있어.

육상 동물의 꼬리가 대표적이겠지.
나름 괜찮은데.

물에 사는 생물의 꼬리는 육상 동물의 다리와 같아서 이동과 생존에 꼭 필요하지만
거기 섯!
꼬리야 나 살려.

육상 동물의 꼬리는 거의 쓸모가 없다고 할 수 있어.
낚시나 할까?

기린의 꼬리는 파리채와 같은 모습을 하고 있지.
살랑
살랑

그렇다고 파리를 쫓기 위해 진화해 왔다고 생각할 수 없겠지.
괴롭혀라.
귀찮어!

물론 파리를 쫓는 것도 결코 하찮다고 말할 수만은 없어.
왜~ 이랬다 저랬다?

아주 큰 네발 달린 동물이 파리에게 직접 죽임을 당하는 일은 없지만
~ 왱 ~
?
맞장 좀 뜰까?

파리들이 계속 쫓아다니면서 귀찮게 한다면
앵~
제발 그만 괴롭혀~

아무리 큰 동물이라 하더라도 체력이 약해져서 쉽게 병에 걸리게 되고
끙
끙
요놈의 파리 떼….

먹을 것이 부족한 시기에는 먹이를 구하지 못할 경우도 생기고
먹어야 하는데 움직일 수가 없다. 에~고.

맹수로부터 도망치지 못하게 될 수도 있지.
키키킥
키킥
너~ 어디 아프구나?
아냐. 난 멀쩡해.

그러니 파리를 쫓는 데만 쓰인대도 결코 하찮지 않아.
저리 가.
착
착

마지막으로 생물의 구조가 인간이나 창조자의 눈에 아름답게 보이기 위해 만들어졌다는 믿음에 대해서 이야기를 해야겠어.

만일 이러한 생각이 옳다면 나의 이론은 틀린 것이 되겠지.
나를 위해 생겨난 꽃 같아요.
까악

아름다움이라는 개념은

우리가 아름답다고 느끼는 대상의 본질적인 성질과는 관계가 없고
너 정말 예쁜 새구나.

단지 인간의 마음에 따라 달라지는 거야.
귀에 걸면 귀걸이 코에 걸면 코걸이.

예를 들면 여성의 아름다움을 평가하는 기준은
우리나라 최고 미인이죠.

종족에 따라서 전혀 다르잖아?
풍만해서 좋아요.

가장 아름다운 자연의 산물로 여겨지는 꽃은

초록색 잎과 대조되어 곤충의 눈에 선명하고 아름답게 보이려고 그렇게 화려한 거야.
한눈에 확 띄네.

이런 결론을 내리게 된 것은
환경에 따라 달라.
종의 기원

꽃가루가 바람에 날려 수정되는 꽃은 절대로 화사한 빛깔의 꽃잎을 갖지 않는다는 사실을 발견했기 때문이야.
벌들이 없어도 갈 수 있다고.

따라서 우리는

만약 지구 상에 곤충이 없었다면

식물이 아름다운 꽃으로 장식되지 않았을 것이고
곤충이 없으니 유혹할 예쁜 꽃이 필요 없구나.

단지 바람을 매개로 하여 수정하는 전나무나 참나무같이

보잘것없는 꽃만을 피웠을 거라 추측할 수 있지.

이것은 과일에도 적용돼.

붉고 노란 과일이 아름답다는 것은 누구나 인정하지만

이 아름다움은 오로지 그 과일이 먹혀서
아~우 너무 많이 먹었다.

씨가 배설물에 섞여 전파되도록
영양분이 많아 금방 자라겠다.

새나 짐승을 유혹하는 것에 불과해.
많이 먹고 내 씨를 퍼뜨려 줘.

그리고 수컷 새나 나비들이 화려한 것은 사람을 즐겁게 해 주기 위해서가 아니라
와~ 예쁘다.

자기 암컷들에게 사랑받기 위한 거야.
자기야 안녕!
몰라보게 예뻐졌다.
쩝

새가 부르는 노래도 마찬가지야.
자기야 노올자~

사람들이 흔히 아름답다고 여기는 생물들의 모양이나 구조는 자연선택과 유전에 의한 것에 불과해.
쟤네들은 신경 쓰지 마.
사람들이 봐. 부끄럽게.

자연선택은 오직 자기 종의 이익에 따라
내겐 우리 가족만이 제일 소중해.
네.

그리고 이익을 위해서만 작용할 뿐

다른 종을 위해서는 아니야.
엄마가 사람들 앞에서 쇼하는 건
다 너희들 먹여 살리려고 그러는 거야. 알겠지?
네.

비록 지금은 쓸모없어 보이는 습성이나 구조라 할지라도

과거 조상들에게도 아무런 의미가 없었을 것이라고 말할 수는 없지.
공격적인 외모는 사는 데 편리하지.

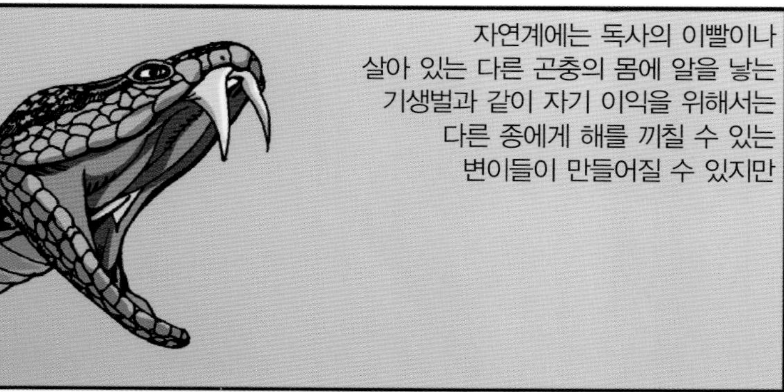
자연계에는 독사의 이빨이나 살아 있는 다른 곤충의 몸에 알을 낳는 기생벌과 같이 자기 이익을 위해서는 다른 종에게 해를 끼칠 수 있는 변이들이 만들어질 수 있지만

다른 종의 이익을 위해서 자신을 변화시키는 법은 없어.
너는 진정 남을 위해 봉사할 줄 아는 새구나.
악어새
빨리 먹고 가야지.

자연선택의 법칙은 오직

누가 살아남을 것인가.

생존 경쟁에서 이득을 본 개체들만 남기는 식으로
엄마~ 배고파!
에휴~ 내 새끼 맞아?
뻐꾸기 탁란*

*탁란 – 어떤 새가 다른 종류의 새 둥지에 알을 낳아 대신 품어 기르도록 하는 일. 뻐꾸기는 탁란하는 대표적인 새이다.

진행되기 때문에
아줌마, 그간 고마웠어요.
잘가~.

다른 종의 이득에 쓰이는 변이를 지닌 개체는
아이고~ 저놈 키우느라 지치고 힘들었다. 끙~

곧 사라지고 말 거야.

물론 자연선택은 결코 완전한 것을 만들어 내지는 않지.

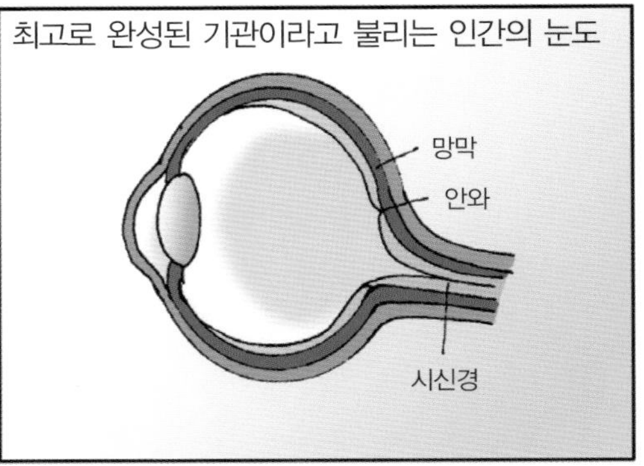
최고로 완성된 기관이라고 불리는 인간의 눈도
망막
안와
시신경

망막 위의 영상이 부정확하고 불완전하잖아.
누구세요?
아빠도 잘 안 보여?

벌의 침은 많은 동물에게 공격용으로 사용되지만

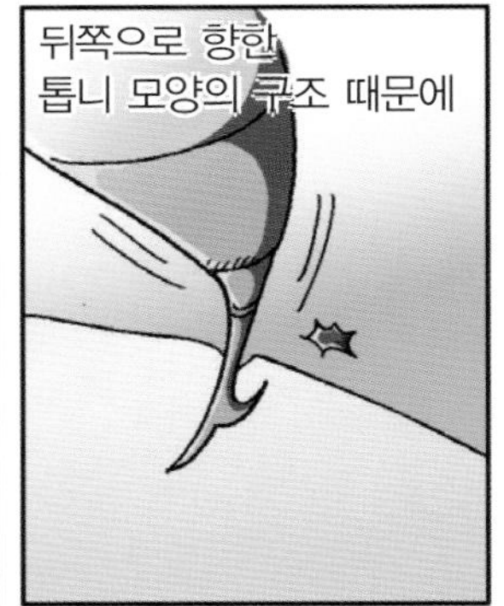
뒤쪽으로 향한 톱니 모양의 구조 때문에

도로 빼낼 수가 없어 곤충 자신의 내장이 밖으로 끌려 나와
켁!
그래서 생명의 위험을 느낄 때만 사용하지.

결국 죽음에 이르고 마는데

이러한 것이 어떻게 완전하다고 말할 수 있겠어?

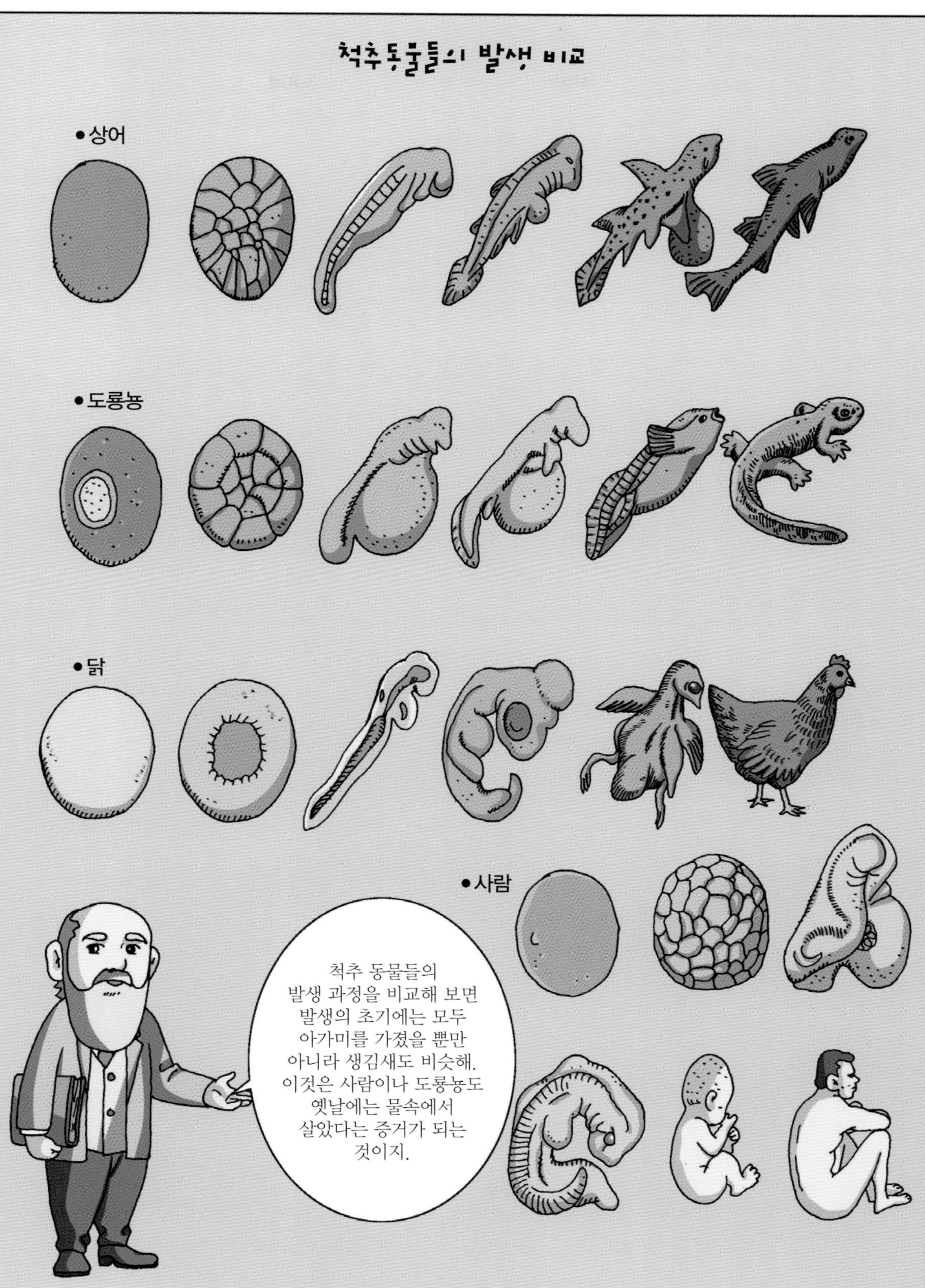
척추동물들의 발생 비교
•상어
•도롱뇽
•닭
•사람
척추 동물들의
발생 과정을 비교해 보면
발생의 초기에는 모두
아가미를 가졌을 뿐만
아니라 생김새도 비슷해.
이것은 사람이나 도롱뇽도
옛날에는 물속에서
살았다는 증거가 되는
것이지.

'잃어버린 고리'를 찾기 어려운 까닭

중간 형태가 없는 이유

다윈이 말한 종과 종 사이에 있는 'transitional form'은 과도기 형태, 이행 형태, 중간 형태 등 다양한 말로 표현될 수 있는데, 흔히 '잃어버린 고리'라고 해. 다윈 시대에 진화론을 비판하는 사람들은 하나의 종이 다른 종으로 변했다면 중간 형태가 있어야 할 텐데, 왜 없는가 하고 증거를 들이대라고 추궁했지.

여기서는 지금 살아 있는 생물들 중에서 중간 형태를 찾아보기 어려운 이유를 다윈이 설명했던 방식 말고 다윈 이후에 발달한 생태학의 개념으로 다시 설명해 볼 거야. 생태학(生態學)이란 생물의 생활을 연구하는 학문이야. 자연에서 종은 고립된 개체군으로 존재하지는 않고, 같은 시간과 같은 장소에서 다른 종의 개체군과 상호 작용하면서 복잡하게 얽혀 살고 있는데, 이를 군집이라고 하지. 군집은 매우 복잡하게 이루어져 있고, 수많은 다른 종들이 상호 작용하며, 살아가는 방법이 서로 의존적이지. 그런데 모든 종은 군집에서 자기 자리를 가지고 있는데, 이를 생태적 지위라고 해.

여기에서 군집과 생태적 지위라는 말을 설명한 이유는 다음 말을 하고 싶어서야. "군집에서는 같은 생태적 지위를 갖는 두 종이 공존할 수 없다." 어떤 종이 군집에서 차지하는 위치를 의미하는 생태적 지위를 좀 더 구체적으로 말하면, 종이 생존하고 건강하게 살고 번식하는 데 필요한 모든 요인을 말하지. 즉 무엇을 먹고, 누구에게 먹히며, 어떤 생물과 경쟁하고, 어디에 사는지, 언제 활동하는지, 알은 언제 어디에서 낳는지 등 생물이 살아가는 하나하나의 모든 내용을 포함해. 생태학 연구에 따르면 모든 생물 종은 각자 하나의 생태적 지위를 차지하고 있고, 생태적 지위가 같은 두 종은 결코 공존하지 못해. 치열한 경쟁이 일어나 결국은 하나의 종이 멸종하기 때문이지. 두 종이 비슷하면 비슷할수록 같은 자원을 두고 경쟁하겠지. 그러면 둘 중에 하나는 멸종할 거야. 그래서 현재의 자연계에서는 어중간한 중간 형태를 찾아보기 힘들지.

진화를 보지 못하는 이유

이제 우리가 진화가 일어나는 현장을 목격할 수 없는 이유를 알 수 있을 거야. 진화는 특수 효과를 사용해 단시간에 이상한 형태의 동물을 만들어 내는 공상 과학 영화와는 달라. 진화는 충분한 시간, 즉 우리가 상상하기 어려운 긴 시간이 지나야 종의 형태를 변화시킬 수 있지. 물고기에서 다리가 자라거나 뱀이 걷는 일은 결코 우리 눈으로 볼 수 없지. 자연선택은 항상 종의 변화를 가져오기 위해 작동하는 것이 분명하지만, 실제로 우리가 살아 있는 100년 동안을 예로 들면 오히려 변화가 일어나는 것이 억제되고 있어. 왜냐하면 오랫동안 진화해 오면서 이미 환경에 가장 적당하게 적응했기 때문이야. 현재 종에 일어나는 작은 변화는 오히려 생존에 방해가 되지. 과거에는 중간 형태의 종에게 유리한 환경이 분명히 있었을 거야. 물론 지금은 다 사라졌지만.

제9장 진화론에 대한 반대 의견

이번 장에서는 내 이론에 대한 여러 가지 반론에 대해 살펴보려고 해.
반 론

독일의 한 유명한 학자는 내 이론의 가장 큰 약점이
완전한 생물이 없다는 게 말이 되오?

내가 모든 생물을 불완전한 것으로 보는 데 있다고 주장했지.
아, 네~.
완벽한 생물은 없단다.

그러나 내가 말하려고 한 것은 모든 생물이 현재의 조건에 완벽하게 적응한 것이 아니라는 거야.
덜덜덜
북극에 사는 곰이라도 춥다구.

실제로 현재의 조건에 완벽하게 적응하여
음~ 만족해.

위치가 확고해 보이는 토착종이 외래종의 침입에 쉽게 밀려나는 사례는 많아.
여기는 이제 내가 접수한다.
헉!
황소개구리

설령 한 생명체가 자신의
생활 조건에 완벽하게 적응했다
하더라도
날씨가
추워진대.

환경의 변화에 따라 계속 변하지
않는다면
그까짓
추위쯤이야.
네
맘대로
해.

그 상태를 유지하기는 어렵겠지.
으이그.
큰소리치더니
결국 가셨군.
쯧!

최근 어떤 비평가는 장수하는 것이
모든 종에 이득이므로
너는
오래 사니까
좋겠구나.

자연선택을 믿는다면 후손이
자기 조상보다 오래 살았는지를
기준으로
할아버지는
몇 살까지
사셨어요?
너보다
일찍….

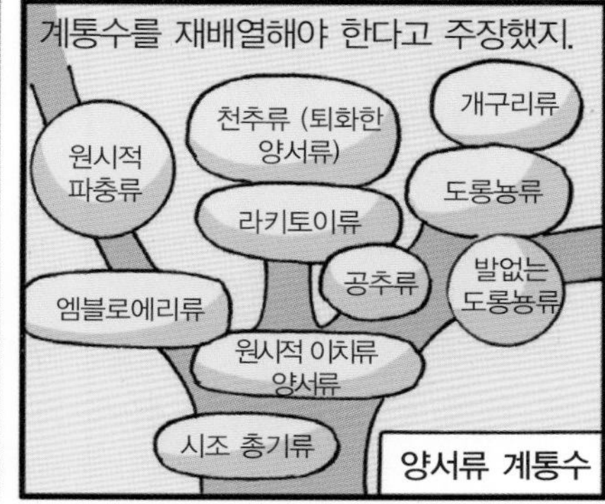
계통수를 재배열해야 한다고 주장했지.
원시적
파충류
천추류 (퇴화한
양서류)
개구리류
도롱뇽류
라키토이류
공추류
발없는
도롱뇽류
엠블로메리류
원시적 이치류
양서류
시조 총기류
양서류 계통수

그러나 한해살이 식물이나
겨울을 날 수 없는 하등 동물은
나보다 네가
더 걱정이다.
앵~
하루살이
걱정하지 마.
적어도 난 내일
걱정은 안 하잖아.

해마다 겨울이 되면
죽지만

자연선택을 통해서 얻는 이익으로 씨나 알에서
태어나잖아. 즉 자신의 생명을 후손을 통해
이어 가는 거야.
너희들이
내 대를
이어 줘야 해.

한편 동물학자인 조지 미바트는

월리스와 내가 주장한
자연선택 이론에 대한 모든
반론들을 수집하여

매우 설득력 있게 내 이론에 반대했어.
진화 이론
반대

나는 미바트의 책을 주의 깊게 읽었는데

많은 부분은 이미 이 책에서 살펴보았어.
종의 기원
찰스 다윈

그런데 미바트의 주장에서 새로운 점은 자연선택이 유익한 구조의 맨 처음 단계를 설명하는 데 적당하지 않다는 거야.
기냥 날어.

미바트가 제시한 것 중에서 가장 설명이 잘된 것을 골라 몇 가지만 살펴보자.

아, 우선 그 전에 일반적으로 자연선택이 어떻게 작용하는가를

기린의 경우를 예로 설명해 볼게.

기린은 큰 키와 긴 목, 앞다리, 머리 및 혀의 구조가 높은 나뭇가지에 달린 것을 뜯어먹기에 좋게 적응되어 있지.
완벽한 자연선택의 결과죠.
우아~ 정말 크다.

따라서 같은 지역에 살고 있는 다른 동물들의 입에 닿지 않는 음식을 먹었고
윗공기는 어떠셔?
좋아. 아주 좋아.

이것이 가뭄 때는 유리하게 작용했을 거야.
부럽다.

발이 네 개이고 굽이 있는 동물들 중에서

기린이 처음 나타났을 때
얘들아 안녕!
허~걱!

가장 좋은 위치에 있는 나뭇잎을 먹고 가뭄이 들면 동료들보다 몇 센티미터 높은 곳에 있는 나뭇잎을 먹을 수 있는 동물들이 보존되고 자손을 낳았겠지.

이러한 과정이 오랜 세월을 거치면서 결국 현재의 기린이 되었을 거야.
1
4
8
10
15
28
30

이러한 진화론적 설명에 대해 미바트는 이렇게 반박했어.
잠깐!

첫째, 몸의 크기가 커지면 먹이가 더 많이 필요할 것이다. 따라서 높은 곳에 있는 먹이를 얻을 수 있다는 장점이 있긴 하지만
큰 몸을 유지하려면 많이 먹어 줘야 해.

먹이가 많이 필요하게 되어 먹이가 부족해질 수 있다.
나는 작으니까 조금만 먹어도 배가 불러.
아~ 여전히 고프다.

이것이 먹이가 없는 시기에는 오히려 불리하게 작용했을 것이다.
먹이가 부족해.

둘째, 긴 목이 자연선택에 유리하다면

왜 남아프리카에 사는 다른 동물들은
?
?

기린처럼 목이 길어지고 몸이 커지지 않았나?
어째 좀 안 어울린다.

그런데 이것은 진화론을 반대하는 근거가 될 수 없어.
설득력이 없어.
이제 좀 편하다.

기린은 남아프리카에 많이 사는데 그곳엔 기린보다 더 큰 동물들도 많아.
몸무게로 따져 보자구.

몸의 크기가 증가해 가는 단계에서 다른 동물들이 건드리지 못하는 먹이를 먹을 수 있다는 것이 기린에게 분명히 이익이 되었을 거야.
저 위쪽 잎은 더 맛있니?

또 몸이 커지면서 다른 동물들의 공격을 피할 수도 있었겠지.
까불어!
이크!

그리고 목이 기니까 멀리서 맹수가 다가오는 것도 쉽게 알았을 거야.
거기서 뭐 해?
앗, 들켰다!

종이 살아남는다는 것은 어떤 한 가지 이익에 의해서 결정되는 것이 아니라

크고 작은 모든 이익의 결합으로 결정돼.
지능
지리
달리기 속도
키
기후

그리고 남아프리카에서 아카시아와 같이 키가 큰 나뭇잎을 뜯어먹는 경쟁은

기린끼리 일어난 것이지 다른 동물들과의 사이에서 일어난 일은 아니야.
저리 비켜!

아프리카가 아닌 다른 지역에서는 기린을 만들어 낸 이러한 경쟁이 왜 없었냐고 하는 반론에는 대답하기 어려워.
친구야!
?
아프리카

이 질문은 어떤 사건이 한 나라에서 일어났는데
폭동

왜 다른 나라에서는 일어나지 않느냐는 질문과 같으니까.
너희는 왜 조용한 거니?

또 어떤 종에게 분명히 유익했을 구조가 왜 다른 종에서는 만들어지지 못했는가 하는 반론도 있었지.
좋아 보여?
야~ 너 어디서 염색했니?

그러나 우리는 각 종의 발달 과정과 당시 여러 조건들을 모르기 때문에
화석이 자세하지 못해.

이러한 질문에 정확히 대답할 수는 없어.
앞으로 계속 연구해야 하겠지.

마찬가지로 남아메리카는 아프리카처럼 매우 풍요로운데도
대서양
남아메리카

네발 달린 큰 동물이 별로 없는 반면
우리과 애들이 별루 없네.
그러게.

아프리카에는 왜 많은지에 대해서도 잘 몰라.
왜 이리 복닥거려?
동물의 왕국이잖아.

다른 지역보다 네발 달린 큰 짐승이 살기에 훨씬 유리했다는 사실만 알 뿐이야.
나야 먹이가 많아서 좋지!

포유류에겐 젖샘이 생존에 필수적이지.
우리 아기 배고프구나.
엄마 찌찌.

그러므로 젖샘은 아주 먼 옛날에 발달한 게 틀림없는데
내가 욕심이 좀 많아서. 호호~
와~! 찌찌다.

이 과정을 확실히 알 순 없어.
어딘가 화석이.

미바트는 어떤 동물의 새끼가 어미의 피부 조직에서 영양이 거의 없는 한 방울의 액체를 그것도 우연히 받은 덕에
이게 뭐지?

멸종으로부터 구출되었다고 말할 수
있을까? 라고 질문했지.
장하다, 우리 아기. 엄마 젖 많이 먹고 대를 이어 가야지.

많은 학자들은 포유류가 새끼를
주머니에 넣고 기르는 유대류에서
진화해 왔다는 데 동의하고 있어.

물 속에 사는 해마는

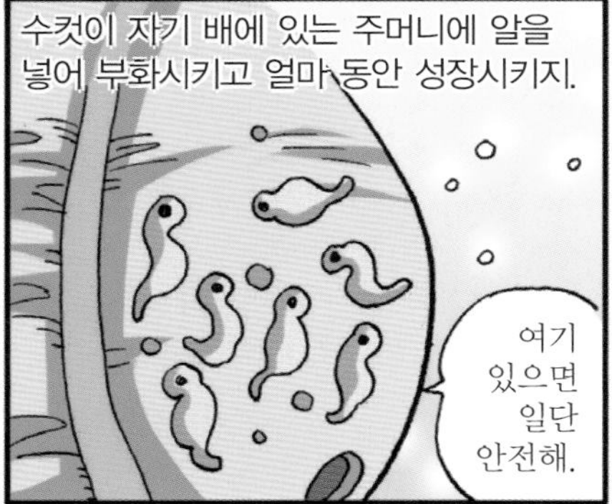
수컷이 자기 배에 있는 주머니에 알을
넣어 부화시키고 얼마 동안 성장시키지.
여기 있으면 일단 안전해.

이러한 사정을 고려했을
때 포유류의 젖샘은

유대류의 주머니 안쪽에서부터
진화해 왔다고 봐야겠지.

그리고 이러한 경우 영양이 많은
젖을 분비하는 개체는
엄마 젖이 풍부해서 삼형제를 다 키우는구나.

양이 적은 액체를 분비하는 개체보다
많은 후손을 길러 냈을 거야.
엄마! 안 나와요.
엄마가 아파서 그래.

젖샘의 발달은 새끼가 젖을 빨지
않으면 불가능했을 것이며
싫어. 난 우유 먹을래.
찌찌 먹어야지.

자연선택의 영향을 받을 수도
없었겠지.
저 녀석이 젖을 안 먹으니까 젖이 퇴화하네.
쭉
쭉
우유

그렇다면 포유류의 새끼가 어떻게
본능적으로 젖 빠는 것을
배웠을까?
꿀.. 꿀.. 꿀..

그것은 병아리가 알을 깨고 나오는
것이나
으아 드디어 깼어요~

껍질에서 나온 지 몇 시간도 안 되어 먹이를 쪼아 먹는 것을 배운 과정과 같은 거야.
먹이다!
내가 먼저 봤어.

이러한 경우 가장 그럴 듯한 대답은
바로

그 습성이 처음에는 연습에 의해 차차 얻어지고
잘한다 내 새끼.
저~ 어린 것이.

그 뒤 자손에게는 좀 더 이른 시기에 전해졌다는 것이지.
먹어야 산다. 젖 주세요!

미바트는 종이 내부의 힘이나 경향을 통해 변화하는 것이라고 믿고 있는데
힘을 키우면 고릴라가 될 수도!

이에 관해서는 아무것도 알려진 것이 없어.
증명할 수 없어.
헛고생 한 건가요?

더욱이 미바트는 새로운 종은 갑작스러운 변화나
종은 갑작스런 환경으로 변화하는 거야.

당장에 나타나는 변화에 의해서 출현하는 것이라고 믿은 것 같아.
헉, 지진이닷!

그는 새의 날개가 갑작스러운 변화 때문에 생긴 것이라고 믿고 있지.
갑자기 생긴 날개 덕에 살았다.

지층에서 전혀 다른 생물이 돌연히 생겨나는 것 같아 보이는 것은
처음 보는 종이다.

생물들이 돌발적으로 발생했다는 이론을 뒷받침하는 것일 수도 있겠지.
생물은 어느 순간에 생기는 것이지 진화하는 게 아뇨.

그러나 지질학적 기록이 완전하지 않기 때문에 그리 쉽게 결론지을 수는 없어.
족보
내 족보가 불완전해서.

발생학 연구 결과를 보면 이러한 갑작스런 변화가 잘못된 설명이라는 것을 알 수 있지.
발생학
연구 결과

새와 박쥐의 날개

혹은 말이나 네발 달린 짐승의 발이

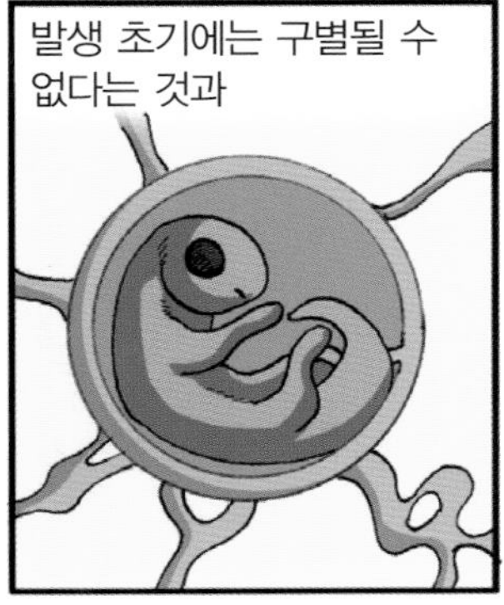
발생 초기에는 구별될 수 없다는 것과

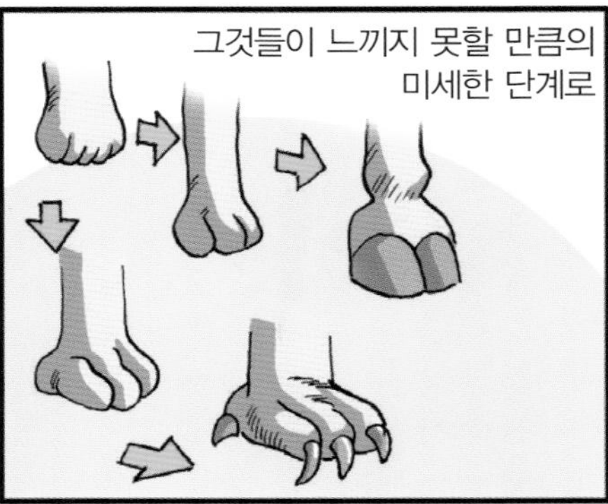
그것들이 느끼지 못할 만큼의 미세한 단계로

분화되었다는 것은 이제 널리 알려진 사실이야.

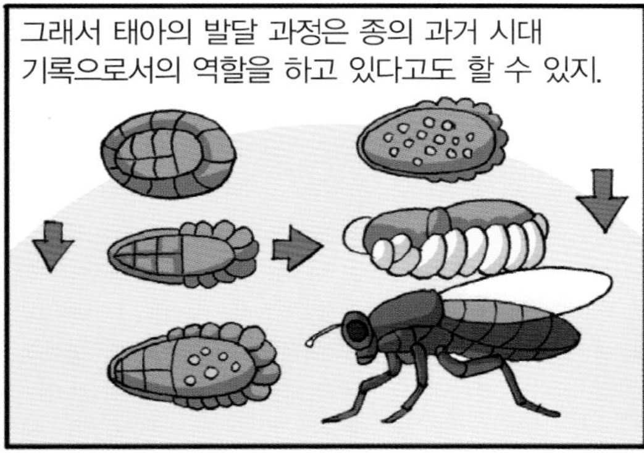
그래서 태아의 발달 과정은 종의 과거 시대 기록으로서의 역할을 하고 있다고도 할 수 있지.

오래된 형태가 내부의 힘이나 경향에 의해
내 안에 날개 있다.

갑자기 변형되었다고 믿는 사람들은
이제 날개를 쓰는 거야.
퍼드득..

많은 개체가 동시에 변이했다고 가정할 수밖에 없고 한 생물에 있는 모든 구조가 갑자기 만들어졌다고 믿지 않을 수 없는데

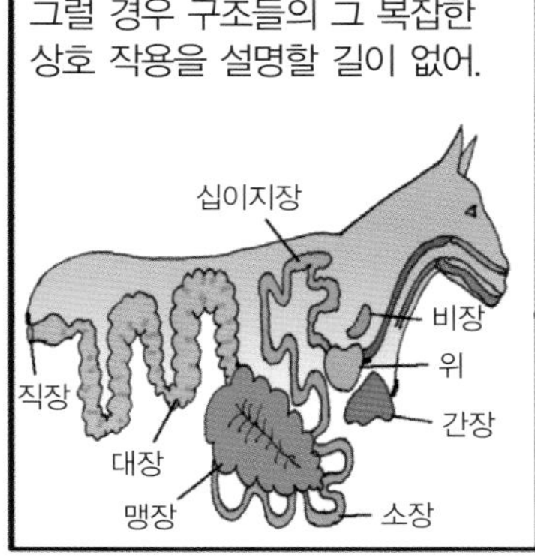
그럴 경우 구조들의 그 복잡한 상호 작용을 설명할 길이 없어.
십이지장
비장
위
직장
간장
대장
맹장
소장

내가 보기에는 이런 이론을 인정한다는 것은 과학의 영역을 떠나 기적의 영역으로 들어가는 것이라 생각해.
모든 것이 주님의 뜻이죠. 그죠?

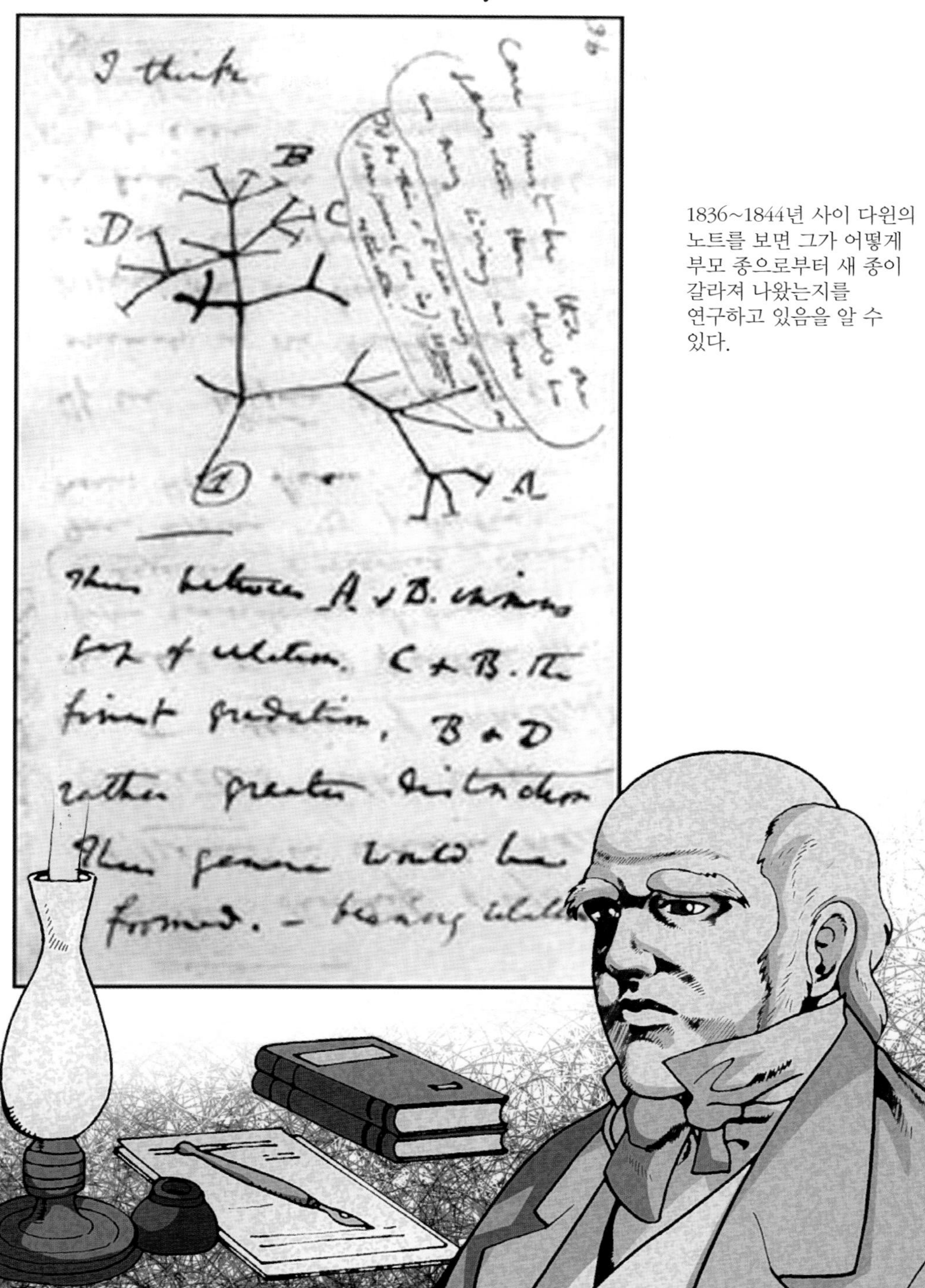
다윈이 노트에 그린 진화의 계통도
I think
1836~1844년 사이 다윈의 노트를 보면 그가 어떻게 부모 종으로부터 새 종이 갈라져 나왔는지를 연구하고 있음을 알 수 있다.

진화론에 반대했던 미바트

공격당한 진화론

다윈이 《인간의 유래》를 출판했던 1871년에 다윈의 진화 이론을 공격하는 책이 출간되었어. 당시 유명한 생물학자였던 미바트는 '다윈의 이론은 유지될 수 없으며, 자연선택은 종의 기원이 아니라는 것을 보여주기 위한'이라는 부제가 붙은 《종의 발생에 대하여》라는 책을 출간했지. 미바트의 주장은 다윈의 이론 체계를 심각하게 위협하는 내용이었어. 그래서 다윈은 다음 해인 1872년에 《종의 기원》 개정판인 6판을 내면서 이번 7장을 새로 추가하여 자신의 이론을 방어했지.

미바트는 1827년에 영국에서 태어났으니까 다윈보다는 열여덟 살 아래야. 그는 런던 왕립 대학을 졸업한 다음 가톨릭으로 개종을 해. 그는 의학과 생물학을 연구했으며, 동물학을 발전시키는 데 많은 기여를 했어. 그는 다윈의 이론이 틀렸다고 논리적으로 입증하고자 했으며, 인간과 동물은 정신 면에서 근본적으로 다르다고 주장했지. 인간을 동물 세계의 한 일원으로 포함시킬 수 없다는 거지. 그의 주장은 현재까지도 일부 종교계에서 다윈의 진화론을 비난하는 근거로 많이 인용되고 있어.

미바트는 다윈을 곤혹스럽게 했지만 아주 흥미로운 문제를 제기했지. 그가 지적한 것은 자연선택이 동물로 하여금 새로운 특징을 지니도록 이끈다면 반쯤 형성된 특징은 무슨 목적으로 존재하는가 하는 문제였어. 그리고 오래전에 설치 동물이 박쥐의 조상이었다면 날아다니기에는 충분하지 않아도 초기 단계의 날개를 지닌 설치 동물이 있었을 텐데, 그 중간 단계의 동물이 날 수 없었다면 날개는 단지 방해가 되었을 것이고, 생존에 유리하지 않아 환경에 적응하지 못했을 것이며, 그 결과 자연선택에 따라 멸종해야 했다는 것이 미바트의 주장이었어. 자연선택은 생물이 새로운 특징을 지닌 종으로 진화하는 것을 방해한다는 얘기였지.

미바트가 제기한 문제, 즉 반쯤 생긴 날개가 생존에 무슨 도움이 되는가 하는 질문에 다윈은 난감해했지. 더군다나 미바트는 유능한 학자여서 더 당혹스러웠겠지. 만약 미바트의 주장이 맞는다면 다윈의 자연선택 이론은 존재 근거가 없어지는 거지. 다윈은 살아 있는 동안 습득된 습성이 유전된다고 믿고 있었기에 미바트의 도전에 완전한 답을 내놓을 수 없었지만, 미바트의 도전에 답을 찾으려고 열심히 노력했어.

도전과 응전

반쯤 생겨난 원시 형태의 날개를 지닌 동물이 과거나 현재에도 많이 있지. 다윈이 이미 6장에서 이야기했던 것처럼 날다람쥐는 날개막을 가지고 새처럼 날 수는 없으나 종이비행기처럼 나뭇가지 사이를 날아다니잖아. 어떤 종류의 나무 뱀은 몸을 납작하게 만들어 나무 사이를 날개로 날 듯이 활강하지. 이처럼 많은 동물이 반쯤 발달한 어중간한 날개를 유용하게 사용하므로 미바트의 주장은 잘못된 거지. 또 생물의 진화 과정에서 환경에 잘 적응된 특징이 처음에는 완전히 다른 목적으로 생겨나기도 했어. 초기의 새에서 보이는 깃털과 날개는 처음에는 날기 위한 것이 아니고 온도를 유지하기 위한 것이었다고 해. 날개를 펴서 열을 식히고 날개를 접어 열을 보존하는 역할을 했는데, 나중에 나는 일에 사용하게 된 거야. 즉 초기에 보이는 어중간한 형태는 전혀 다른 목적으로 생존에 도움이 될 수 있는 거지.

제10장 본능

어떤 동물들은 많은 경험과
훈련이 필요한 행동을
콩콩..

어린 새끼일 때 하곤 해.
헉! 헉! 가족들이 나를 애타게 기다릴 거야.

이처럼 한 종에 속한 개체들이
헥헥.
백구야.
그 먼곳에서 집을 찾아오다니.

동일하게 행동하는 것을 본능이라고 해.
알알
이제 절대 헤어지지 말자.

동물들이 보여 주는 본능적인
행동은 무척이나 놀라워서
아무리 물살이 세도 간다.
컴백홈.
연어

사람들은 자연선택만으로는 그런 행동을
설명할 수 없을 거라고 속단할 수도
있을 거야.
산란을 마쳤으니 죽자.
이런 본능도 자연선택이지.

본능의 발달 과정을 설명하지 못하면
이 이론 전체가 송두리째 뒤집히겠지.

우리가 늘 부르던 노래를
일정한 순서에 따라 부르는
것처럼
봄처녀~
제
오시네

본능에 따르는 행동을 할 때도 일정한
순서가 있지.
새 풀옷을….
새 풀옷을
입으셨네

노래를 하거나 뭔가를 외우고
있을 때 도중에 끊기면
4×2=8
4×3=12
4×4=16
…?

지금까지 해 오던 리듬을
되찾으려고 다시 처음으로
돌아가잖아.
사이팔
사삼
십…이
사…사
십육.
4×4=16
4×5=20

피에르 위베는 매우 복잡한 그물 침대를
만드는 어떤 애벌레에게서도 이런 일이
일어난다는 것을 관찰했어.
훈련시키시게요?

6단계까지 그물 침대를 완성한
애벌레를 잡아서 3단계까지
만들어진 그물 침대에 넣었더니
누가
집을 짓다가
만 거야?

그 애벌레는 4, 5, 6단계를
다시 반복했어.
착
착
아직도
해야 할 일이
있군.

이번에는 3단계까지만 마친 애벌레를
6단계까지 거의 완성한 그물 침대에
넣었더니
허걱!
이게 어떻게
된 거냐?

이번에는 매우 당황하면서
자기가 떠나 온 3단계부터
어디서부터
다시 해야지?

일을 다시 시작해야 한다는 듯이
이미 마무리된 일을 다시 하려고
애쓰는 거야.
에고 마구
겹친다.

습성*과 본능은 비슷한 점이 많지만
서로 달라.
드러.
후비적
후비적...
킁..
킁..
이건
습관이야.

*습성 – 습성이나 습관은 영어로 모두 habit로 반복적인 행동을 의미한다. 그러나 습관은 보통 후천적으로 학습에 의해 나타나는 행동을 의미하고 습성은 그것뿐만 아니라 본능적인 행동도 포함한다.

본능이 습성에 의해 한 세대
동안 얻어져서
이건 내가 노력해서 만든 몸매야.

다음 세대에 유전되는
것은 아니야.
운동 좀 하시지.
훌쩍

즉 꿀벌이나 개미에게서 볼 수 있는 놀라운
본능이 습성에 의하여 얻어지는 것은 아닐 거야.
오늘도 열심이네.
응~ 겨울을 준비하려면 열심히 해야지.
좋은 습성이야.

종의 번성을 위해서는 본능이
신체 구조만큼이나 중요해.
퍼덕
퍼덕
따뜻한 남쪽으로 가려면 날개가 튼튼해야지.

생활 조건이 변한다면 본능이 조금
변하는 것으로도 그 종에 이익을
줄 수 있지.
떠나자. 남쪽으로.

그리고 만일 본능이 조금이라도
변한다는 것을 증명할 수 있다면
습성을 조금 바꿔서 밤에 사냥을 나가야지.

자연선택에 의해 본능의 변이가 보존되고
끊임없이 축적될 수 있다고 말할 수
있을 거야.
컴컴한데 왜 나왔어요?
야행성이라서.

아주 작지만 이익이 되는
변이들이 점진적으로
축적되는 경우에만

자연선택에 의해 복잡한
본능이 생겨날 수
있겠지.
벌레보다는 피를 마시는 게 더 편해.

따라서 자연 상태에서 복잡한 본능이
획득되는 이행 단계를 직접 관찰하기는
어렵기 때문에
단순한 본능
?????
복잡한 본능

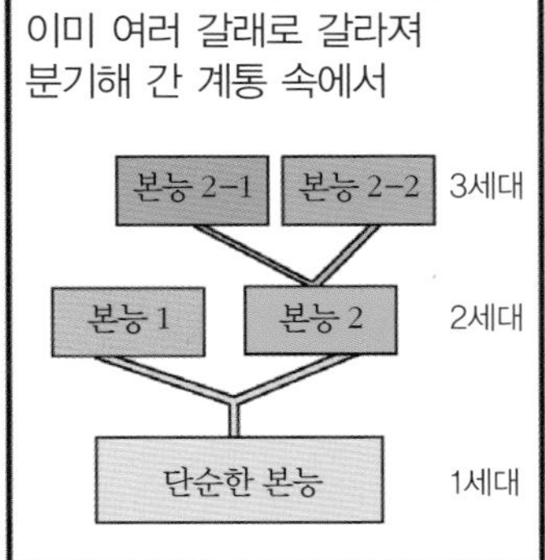
이미 여러 갈래로 갈라져
분기해 간 계통 속에서
본능 2-1
본능 2-2
3세대
본능 1
본능 2
2세대
단순한 본능
1세대

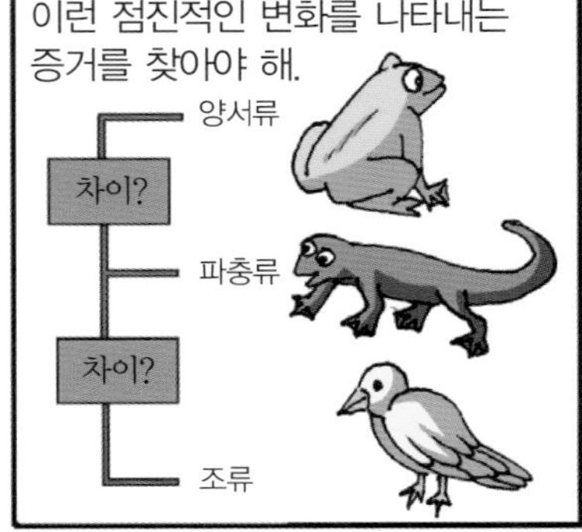
이런 점진적인 변화를 나타내는
증거를 찾아야 해.
양서류
차이?
파충류
차이?
조류

우리는 분명 그 증거를
찾을 수 있어.
어딘가
단서가.

현재 동물의 본능에 대한 연구가 유럽과
북아메리카 지역에서만 이루어지고 있고
북아메리카

이미 멸종한 종의 본능은 확인할
수가 없는데도 불구하고

복잡한 본능을 이끌어 내는
단계들이 많이 발견된다는 사실에
나 자신 스스로 놀랐어.
정말
놀랍다.

이러한 사실들을 보면서 나는
본능도 신체적 구조와 마찬가지로

자연선택에 의해 유전된다고 확신하게
되었지.
저
왔어요.
귀소 본능도
유전된 거야.

환경이 바뀔 때 본능도 변하면
그 종이 생존하는 데
유리할 거야.
이럴 때는
초음파가 먹이를
찾아 주지.

생물의 기관은 반복되는
습성 때문에 변하고 쓰지
않으면 퇴화하는데
초음파를
쓰면 먹이에
부딪쳐 돌아와.

본능도 이와 같다고 생각해.
누구
세요?
어~이
뚱씨~!
나 몰라?
집고양이

그러나 여러 예를 볼 때 본능의 변이에는
습성보다 자연선택의 영향이
훨씬 크다고 생각해.
태어나자마자
일어나야 살 수
있어. 힘내!
이야암!

본능은 그 종을 이롭게
하기 위해 형성되는
것이지
엄마, 저
잘 뛰죠?
껑충

다른 종에게 이익을 주려고
형성되는 경우는 없어.
어쩜!
나를 위해 포동포동
살찌운 거 봐!
오해야 오해!

진딧물이 자진해서 개미에게
단물을 주는 일은
개미야
맛있게
먹어!

다른 종에게만 이익이 되는 행동을
하는 예로 널리 알려져 있었지.
제가 좀 많이
착하죠.

이 행동이 자발적이라는 것은 다음
사실에 의해 증명돼.
과학은
증명하는
학문이야.

나는 소리쟁이에 달라붙은 열두 마리의
진딧물에서 개미들을 치워 버린 다음
아– 진짜
왜 그래요?

몇 시간 동안 개미를 막았어.
개미들이
안 보이네.
앞이
막혔다.

나는 그 정도의 시간이면 진딧물이
단물을 내놓을 거라고
생각했지.
흥~
아무나 주니!

그런데 한참이 지나도

진딧물들은 한 마리도 단물을
내지 않았어.
우릴 너무
쉽게 봤어.
호호
그러네.

이번에는 개미가 하는 것처럼 머리카락으로
진딧물을 간질이고 쓰다듬어 보았지.
살살
간질
어머!
어머!
흉측해!

여전히 요지부동이었어.
그만
포기하셔.

그 뒤 개미 한 마리를 넣어
주었지.
하이?
어디
갔었어?

그 개미는 이리저리 돌아다니면서 더듬이로
진딧물의 배를 건드렸고
간질
간질
힝
아~잉
간지러~

진딧물들은 개미의 더듬이를 느끼자마자 배를 들어 올리고 맑은 단물을 내놓았지.
개미구나. 어서 와서 먹어.

개미는 열심히 받아먹었어.
냠냠

아주 어린 진딧물들도 관찰해 봤는데 똑같이 행동했어. 본능적인 행동이지 습성의 결과가 아니라는 뜻이지.
아유~ 귀여븐 것들.

진딧물이 개미를 싫어하지 않는다는 것은 위베의 관찰로 미루어 보아서도 충분해.
사이 좋게 지내자.

진딧물은 얼핏 보면 다른 종의 이익을 위해 행동하는 것 같아.
난 평화주의자.

진딧물이 달콤한 분비액을 내서 스스로 개미에게 주기 때문이지.
냠냠
많이 먹어 친구야.

하지만 내가 관찰한 결과
모든 생물의 행동엔 목적이 있을 거야.

진딧물이 분비액을 개미에게 주는 것은 찐득찐득한 분비액을 없애 버리는 것이 자신에게 유익하기 때문이야.
앗! 들켰다.
시원하다.

만약 개미가 없다면 그들은 그 분비물을 억지로 배설해야 할 거야.
야~ 저리 비켜.
끙!
개미가 없어서 힘들어.

얘들아, 이리 와서 먹어.
진딧물은 개미에게서 이득을 하나 더 얻어.

개미가 곁에 있으면 다른 곤충들이 진딧물을 잡아먹으려고 접근하기가 힘들기 때문이지.
아~ 바로 코앞인데.
올 테면 와 봐.

말하자면 자신의 편의를 위해 다른 종의 본능을 이용하는 거야.
저리 꺼지지 못해!
이크!

즉 생물 세계에서는 자신에게는
이득이 없고 다른 종에게만
이득이 되는 행동은 없어.
당연하지.

자연 상태에서 선택에 의해
본능이 어떻게 변해 왔는지
좀 더 살펴보자.
준비 됐나요?

뻐꾸기는 다른 새의 둥지에 알을 낳아.
!
남의 집에서 뭐 하니?

몇몇 학자들은 이런 본능이 생긴
원인은 뻐꾸기가 2~3일 간격으로
알을 낳기 때문이라고 주장해.
알이 자주 쌓이니까 그런 거지.

뻐꾸기는 한 번에 10~
15개의 알을 낳는데
집은 작고 자식은 넘쳐나고.

그것이 다 부화된다면 둥지가 비좁겠지.
엄마~ 좁아서 못살겠어요.
앙앙..

그런데 만약 유럽 뻐꾸기의
조상이 가끔씩 다른 새의
둥지에 알을 낳았다고
가정해 보자.

남의 둥지에 알을 낳는
어미 새는 다른 어미 새보다
훨씬 더 유리했을 것이고
맘마 맘마!

또 그렇게 남의 둥지에서 자란 새끼가
더 튼튼해졌다면 그 새끼나 어미 새는
그런 행동으로 이익을 얻었겠지.
잘도 컸네, 내 새끼.

이렇게 길러진 새끼는 유전을 통해
남의 둥지에 알을 낳는 어미 새의
습성을 물려받았을 것이고
얼른 낳고 가자.
누구세요?

그래서 더 적극적으로 다른 새의
둥지에 알을 낳아 새끼를
길렀겠지.
생존을 위한 본능이야.

나는 이런 과정이 지속되어
빼꾸기의 특이한 본능이
생겨났다고 믿어.

갓 태어난 어린 빼꾸기는 부화한 다른
새끼를 쫓아내지.
저리 비켜!
으악

이러한 빼꾸기의 무서운 본능은
이제야
내 세상이군.

어떻게든 먹이를 많이 먹으려고 노력하는 동안
얻어졌겠지.
엄마
맘마
아앙!!

이따금 나타난
습성이 이익이 되고

또 둥지를 빼앗긴 다른 새도
그로 인해 멸종되지 않았다면
그 습성은 영구적으로 자리
잡았을 거야.

포르미카 루페센스라는 개미는 아무 일도
하지 않고 노예 개미에 의존해서
살아가는 독특한
개미야.
오냐.
주인님
먹이를 가져
왔습니다.

그 개미는 집을 만들 줄도
모르고 애벌레를 키울 줄도
몰라.
엉~ 그게
뭔데?

같이 사는 노예 개미들이 이사
갈 곳도 결정하고
주인님
이사 가야
돼요.

심지어는 주인을 물어서 옮겨 주기까지
하지.
힘드셔도
조금만
참으세요.
응

이 개미의 습성을 처음 발견한
위베는
왜요?
부러워요?

이 개미만 30마리를 가두고는 먹이도
충분히 넣어 주면서
뭐야-
귀찮게.

스스로 일하도록 자극하기 위해
애벌레와 번데기도 넣어 주었대.
잉~ 이게 뭐야?

하지만 아무 소용 없었고
어쩌라고~
일도 해 본 개미나….

먹이가 있어도 먹지 못하고 굶어 죽기까지 하더래.
먹여 줘!
먹기가 귀찮아서 죽는다.

위베가 노예 개미
한 마리를 넣어 주자
내가 없으면 아무것도 못해~

이 노예 개미는 곧바로
루페센스에게 먹이를 주고
아~ 어서 드세요.
이제 살았다.

애벌레를 돌보며 모든 상황을 정상으로 되돌려 놓았어.
아휴~ 이 먼지 좀 봐!
휴 이제 살겠다.

이 개미가 노예를 부리는 본능을
지니게 된 원인을 정확히 알 수는
없지만
잘할 수 있나?
뭐든지 시켜만 주세요.

추측은 할 수 있지.

개미는 다른 종의 번데기를 먹이로 쓰려고
자기 집에 가져가기도 해.
비상식량으로 가져가자.

이렇게 가져온 번데기가 자라서
개미로 컸을 때
아웅~
녀석들 깨어났구나.
엄마?

그 개미는 본능에 따라 자신이
할 수 있는 일을 하겠지.
왠지 청소가 마구 하고 싶다.

그런데 잡혀 온 개미의 행동이 그들을
잡아 온 개미에게 유익하다면
오!
청소 끝.
저는 밥을 지었어요.
밥통

그 종들은 원래 먹이로 쓰려던 것들을 먹지 않고 자라도록 두었다가
나중에 우리 일꾼으로 키우자.

노예로 부렸을 수 있겠지.
장작 다 팼구먼유.
애썼구나.

그리고 이 습성이 대를 이어 가면서 본능으로 발전했을 거야.
주인님을 잘 모셔야 한다.
염려 마세요. 할아버지.

이렇게 노예를 소유하는 본능이 생기면
주물러 드릴게요.
아~ 시원해.

자연선택에 따라 그것이 더욱 발전하여
세대가 거듭되면

루페센스 종처럼 노예에게 완전히 의존해서 살아가는 상태가 될 수도 있을 거야.
TV 좀 켜 줘.
내가 없으면 암 것도 못하겠구나.
과자

마지막으로 꿀벌의 경우를 살펴보자.
앵~

꿀벌들은 밀랍을 가능한 한 적게 쓰고 꿀을 최대한 많이 저장할 수 있도록 집을 만들어.
뚝
딱
정교하게.

아무리 뛰어난 숙련공이라도 그런 방을 만들긴 어려울 거야.
쩝!
아찌! 좀 더 배우셔야 하겠다.

어두운 벌통 안에서 그렇게 정확한 육각형을 만들다니 신기하지.
뚝
딱
쿵
지끈

하지만 그것도 일정한 발전 단계가 있다면 가능하다고 봐.
흠!
저도 첨부터 한 건 아니고요.
조상부터 이어져 온 거예요.

호박벌의 벌집은 매우 불규칙한 둥근 모양이면서 서로 분리되어 있지만 꿀벌의 벌집은 각 방이 육각형이고 2층으로 되어 있어.
그게 뭐니?
왜?

완성도가 매우 높은 꿀벌의 집과 단순한 호박벌 집의 중간 정도에 해당하는 집을 만드는 벌이 있는데
그게 누군데요?

멕시코의 멜리포나 도메스티카라는 벌이야.
난 중간형이 좋아.

멜리포나는 원통 모양의 집을 만들어 새끼를 부화시키는데
알을 낳을 곳이니까 더 튼튼하게 지어야지.

꿀을 저장하기 위해 큰 방을 몇 개 더 만들어.
꿀도 많이 모으고.

꿀을 저장하는 이 방은 공 모양에 가까우며 크기도 거의 같아.

그리고 한데 모여 불규칙한 덩어리를 이루지. 이 방들은 서로 바짝 붙어 있어서 그 공 모양의 방들이 다 만들어지면

각 방의 벽이 옆방으로 침범해 들어갈 것 같지만

방 사이마다 팽팽한 밀랍 벽을 만들기 때문에 그런 일은 일어나지 않아.

나는 멜리포나가 둥근 방을 똑같은 크기와 간격으로 만들어 2층으로 대칭이 되게 배열한다면
아파트 형식으로…
종의 기원

바로 꿀벌의 집처럼 완전한 구조가 되지 않을까 하는 생각이 들었어.

그래서 내가 아는 기하학 교수에게 말했더니 맞는 말이라더군.
둘 다 완벽하겠죠.

그러니 멜리포나 종의 본능을 조금만 변화시킬 수 있다면 분명히 이 벌도 꿀벌의 벌집처럼 완전한 벌집을 만들 수 있을 거야.
난 아직 부족해.
힘내. 친구!

나는 꿀벌들이 이런 식으로 본능을 변화시켰으며
설계도
좀 더 완벽한 집이 필요해.

자연선택을 통해 이런 환상적인 건축 능력을 획득했다고 믿어.
드디어 완벽한 집이 됐다.
아빠!

그러면 이러한 본능은 습성에 의해 얻어질까?
뚝
딱

그렇지는 않아.

일벌이나 일개미는 생식 능력이 없어. 이들은 모두 여왕벌이나 여왕개미가 낳은 알에서 태어나지.
귀여운 우리 일꾼들.

그런데 일벌이나 일개미는 여왕이 될 수 없어.
새끼는 어떻게 낳아?
바보야 우린 못 낳아. 일이나 하셔!

따라서 생식 능력이 없는 일벌이나 일개미가 생활하면서 얻는 습성은 자손에게 전달되지 못하겠지.
물려줄 자손이 있어야 물려주죠.

그런데도 여왕벌과 여왕개미는 그런 본능을 가진 일벌 또는 일개미를 낳아.
아~ 일하고 싶어 몸이 쑤신다.
일감 어디 없나?
이것을 보고 나는 본능이 습성에 의해 일어나는 것이 아님을 확신할 수 있었지.
38
나는 뛰고 싶은 습성이 있을 뿐이야.

내가 예로 설명한 뻐꾸기, 개미, 벌 등을 보면 생물의 본능은 처음부터 있었던 것은 아니고 자연 상태에서 약간씩 변이하며 이 변이는 유전될 수도 있다는 것을 알았을 거야.

어느 동물이나 본능은 매우 중요해. 따라서 본능에 의해 발생하는 유용한 변화를 자연선택이 축적한다는 것은 당연하다고 하겠지.
끙
알을 깨야 세계를 품지.

자연은 비약하지 않는다는 명제는 본능에도 적용돼. 한 가지 명심할 점은 본능은 완전하지 않으며 실수를 저지르기도 한다는 거야.
본능은 생물학적 에너지.
프로이트

또한 어떤 동물이 다른 동물의 본능을 이용하는 경우는 있지만 다른 동물을 위해 생겨나는 본능은 없다는 점도 기억하길 바라.

본능과 학습의 차이

종의 이익을 위한 본능

시나 음악을 외우던 사람이 중간에 막혔을 때 처음부터 다시 해야 하는 것처럼 동물들은 절대 변하지 않는 순서로 행동하는 경우가 있지. 이것을 고정 행동 양식이라고 하는데 본능적 행동의 일종이야. 물론 사람이 시를 외우는 것이 본능적인 행동은 아니야. 그러면 무엇을 본능이라고 할까? 강아지는 쓰다듬어 주면 꼬리를 흔들고, 고양이는 성났을 때 꼬리를 치켜 들지. 이처럼 동물들은 외부 환경의 자극에 대해 반응을 해. 이러한 반응을 행동이라고 하지. 동물들의 행동을 결정하는 것은 두 가지야. 하나는 본능이고 다른 하나는 학습이지.

본능의 가장 대표적인 예는 정해진 순서대로 나타나는 행동이야. 아기의 손을 건드리면 손을 강하게 쥐는 것이나 배고프면 젖을 빠는 것도 본능적인 행동이지. 일단 동물이 고정 행동을 시작하면 중간에 방해가 있더라도 하던 행동의 순서를 끝까지 마쳐. 상황이 변했을 때는 본능적인 행동이 불리할 수도 있지만, 경험에 의해 배워서 하는 데는 많은 시간과 시행착오를 겪어야 하는 단점이 있어. 그래서 많은 경우 본능적인 고정 행동은 학습 과정이 없이 효율적인 행동을 가능하게 해 주지. 새끼가 배고플 때 젖을 빠는 것을 본능적으로 하지 않고 경험으로 배워서 해야 했다면 그 동물이 현재 살아남았겠어? 모두 멸종했겠지.

자연선택은 동물이 경험 학습 없이도 생존에 필수적인 행동을 할 수 있었던 종만 살아남게 한 거라고 할 수 있지. 다윈이 말한 것처럼 본능이 자기 종의 이익을 위한 것이라면 본능의 변이는 분명히 자연선택의 대상이 되는 거야.

학습은 선별적으로

새들이 노래하는 것처럼 본능적인 것으로 보이는 행동도 실제로는 학습에 의한 경우가 많아. 새들의 노래는 복잡하고, 새들마다 달라. 흰머리참새가 노래를 잘하려면 어릴 때 어른 참새들이 하는 노래를 듣고 연습을 해야 해. 만약 새끼 참새를 어른 참새의 노래를 듣지 못하게 방에 가두고 기르면 그 참새는 어른이 되어서도 노래를 잘 못해. 그리고 흰머리참새 새끼를 다른 종인 딸기참새와 같이 키우면 자기 종의 노래보다 오히려 딸기참새의 노래를 배우게 돼. 새들이 노래하는 것은 학습이 필요하다는 이야기지. 그러면 비둘기 새끼를 딸기참새와 같이 키우면 비둘기가 참새의 노래를 할 수 있을까? 그렇지는 않아. 즉 동물들이 어떤 행동을 경험으로 학습한다고 해도 모두 학습되는 것은 아니야. 동물마다 잘 배울 수 있는 행동이 있고, 배우기 힘든 행동이 있어. 자기 생존에 가장 중요한 정보가 가장 쉽게 학습되지. 다윈은 동물이 사는 동안 얻은 형질도 유전된다고 믿었고, 그래서 습성이 유전되는 경우도 있다고 했는데, 그 습성이 유전될지 안 될지는 그 종이 태어날 때 이미 결정되어 있어. 다윈이 살았던 시대는 유전학이 발전되기 이전이었으므로 유전되는 습성과 유전되지 않는 습성을 구분하기 어려웠고, 그래서 다윈도 스스로 무척 답답했을 거야.

제11장 잡종 현상

난쟁이염소

트겐브르그 종

블랙헤드 종

학자들은 서로 다른 종끼리는 자손이 만들어지지 않는 것을 종이 섞이는 것을 방지하는 장치라고 생각하는 것 같아.
왜 그런 눈으로 봐요~ 징그럽게.

서로 다른 종이 자유로이 교배할 수 있다면 각각의 집단은 유지되기 어려웠겠지.
냐옹~ 멍 멍 냐옹~
허걱! 개고양이?

실제로 서로 다른 종은 새끼를 낳기 어렵고 또 설령 잡종이 생겼다 하더라도 불임인 경우가 많아.
토끼야 네 귀가 너무 사랑스러워. 내 사랑을 받아 줘.
말세다.

그러나 우리가 현재 알고 있는 지식수준으로 이것을 단정할 수는 없을 거야.
다른 측면에서 볼까?

공통의 조상에서 유래한 변종끼리는 새끼가 태어나고
우린 결혼할 수 있대.

또 그 잡종의 새끼들도 계속 자손을 생산할 수 있어.
우리는 비록 잡종이지만 서로 좋아해도 된대.

이것은 변종과 종 사이를 구별해 주는 한 기준이 되지.

서로 다른 개체나 변종과의 교배가 자손의 건강과 생식 가능성을 증가시키지만

아주 혈연이 가까운 것들끼리의 교배는 그 반대가 될 수도 있지.
?
끙끙!

교배가 매우 어려운 두 종에서 난 잡종은
우리는 특이한 한 쌍이야.

일반적으로 거의 불임이야.
사랑만 받고 살지 뭐.

그러나 최초로 이루어지는 교배가 어렵다고 해서 그 교배로 생겨난 잡종이 꼭 불임이 되는 것은 아니지.

이를테면 베르바스쿰 속에서는

두 개의 순종이 너무 쉽게 결합하여 잡종을 많이 생산하지만

그들 잡종은 불임인 경우가 많아.
우리는 후손을 생산할 수 없어, 흑흑!

이와는 반대로 교배가 아주 드물게 일어나지만
자기야 나랑 놀아 주라.
귀찮아.

그 결과로 생긴 잡종은 대단히 생식 능력이 좋은 경우도 있어.
우리는 어렵게 결혼했지만 자식들은 번성할 거야.

이 복잡하고 기묘한 규칙들은

단순히 자연계에서 서로 다른 종이 뒤섞이는 것을 방지하기 위해서
불임벽
자기야.

잡종에 불임성이 부여되었다는 뜻일까?
?

나는 그렇게 생각하지 않아.
절대로!

서로 뒤섞이는 것을 방지할 필요성은 어느 종이나 똑같을 텐데
너 꼴이 그게 뭐냐?
말이 제 아빠예요.

서로 다른 종을 교배했을 때 불임의 정도가 다른 것은 무슨 까닭일까?
2세는 카마라고 짓자.

또 왜 잡종이 태어날 수 있을까?
헉!
헉
이거 버리는 거야?
너 잡종이지?

하는 점도 의문이 아닐 수 없어.
?

종 사이에 교배가 일어나지 않거나
영철이 엄마!
이게 미쳤나!

잡종이 불임이 되는 원인은
나는 염색체가 이상해서 생식 능력이 없어.
노새

교배된 종이 특히 그 생식 기관에서 알려지지 않은 차이를 가지고 있기 때문인 것 같아.
아직도 내가 모르는 것이 너무 많아! 여러분들이 연구해서 밝혀 줘….

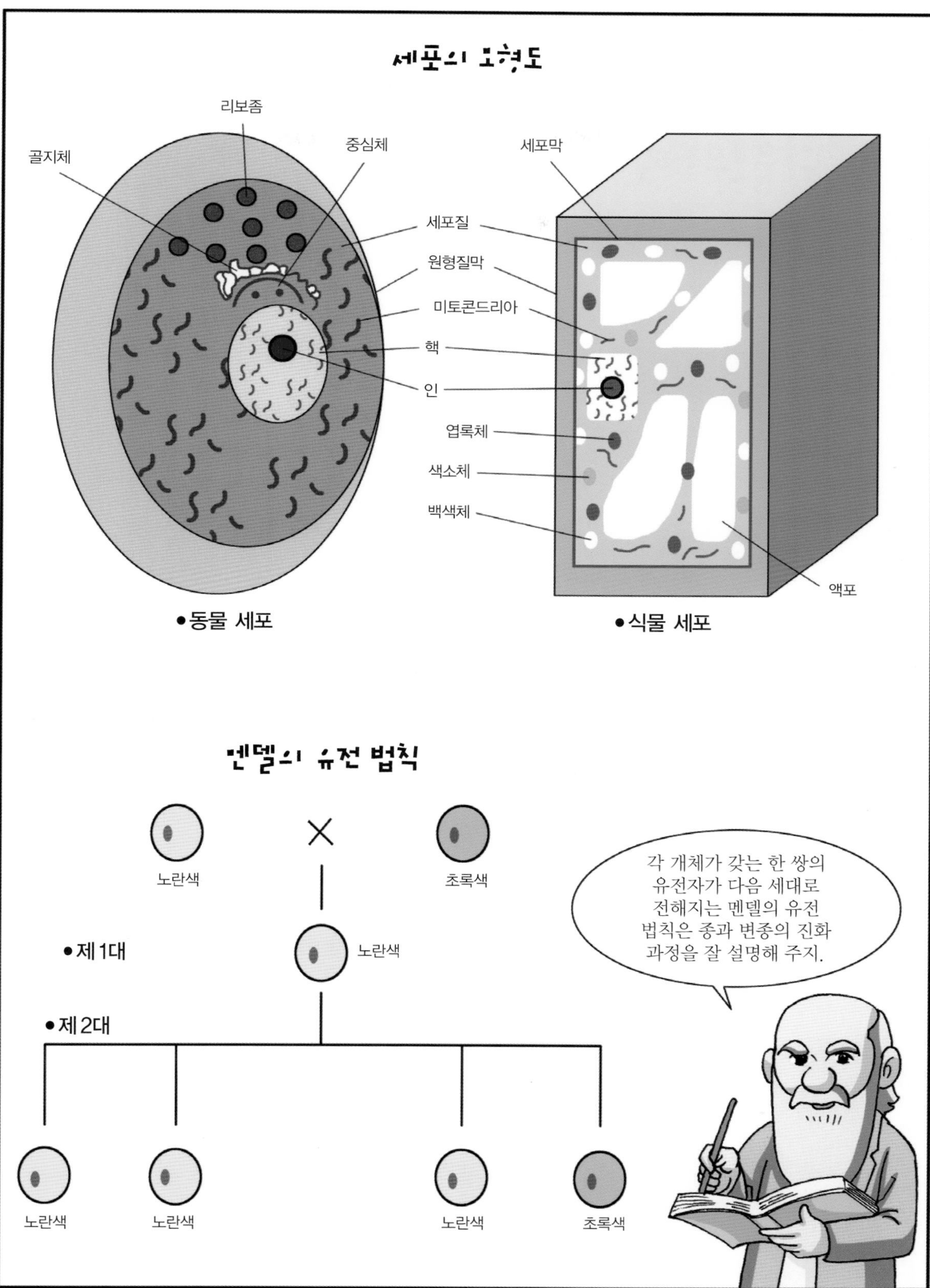
세포의 모형도
리보좀
골지체
중심체
세포막
세포질
원형질막
미토콘드리아
핵
인
엽록체
색소체
백색체
액포
●동물 세포
●식물 세포
멘델의 유전 법칙
노란색
초록색
●제 1대
노란색
●제 2대
노란색
노란색
노란색
초록색
각 개체가 갖는 한 쌍의
유전자가 다음 세대로
전해지는 멘델의 유전
법칙은 종과 변종의 진화
과정을 잘 설명해 주지.

다윈의 한계

잡종은 불임성

이번 장에서 다윈은 서로 다른 종이 교배되지 않는 것은 애초에 종이 창조되면서 그런 성질을 부여받았기 때문이라거나, 잡종은 아예 불가능하다거나 설령 가능하다 하더라도 생식이 불가능하므로 자연선택에 의해서는 생겨날 수 없다는 주장에 대해 자신이 생각한 바를 밝히고 있어. 다윈은 두 개의 종이 서로 아주 가까우면 교배가 가능하고 그렇게 생긴 자손들 중 일부는 재생산도 가능하다는 증거를 제시하지.

일반적으로 종이 다르면 서로 교배가 이루어지지 않아. 드물게 교배에 의해 수정이 된다고 하더라도 일반적으로 배아는 태어나기 전에 죽고 말지. 또 중간 잡종이 생겨났다고 하더라도 자손을 생산할 수 없는 불임이 돼. 이러한 잡종 불임은 부모 종의 염색체 수가 다를 때 나타나. 서로 다른 종끼리 번식이 일어나는 대표적인 예는 노새야. 노새는 암컷 말과 수컷 당나귀가 짝짓기해서 낳은 자손이지. 노새는 말보다 더 많은 짐을 옮길 수 있어서 사람들이 인위적으로 만들어 내지만 후손을 낳지는 못해. 말과 당나귀는 종이 전혀 달라서 염색체 수가 다르기 때문이지. 말은 64개의 염색체를 가지고 있는 반면 당나귀의 염색체는 62개야. 염색체는 아버지와 어머니에게서 물려받은 염색체끼리 쌍을 이루어야 하는데, 노새의 경우는 이것이 불가능해. 짝을 이루지 못한 염색체들은 심각한 문제가 생기기 때문에 노새는 새끼를 못 낳아. 한편 당나귀는 얼룩말과 짝짓기를 하여 종키(zonkey)를 낳을 수 있고, 사자와 호랑이도 라이거(liger) 혹은 타이곤(tigon)을 낳을 수 있어. 그러나 종 간의 교배로 건강한 2세를 낳는 경우는 무척 드물다고 할 수 있지.

우수한 잡종의 조건

유전적으로 서로 다른 혈통끼리 교배를 하면 우수한 후손이 나오는 경우가 많지만, 이것은 일반적으로 같은 종끼리의 교배에서 나타나는 현상이야. 이러한 현상은 옥수수에 대한 연구에서 많이 밝혀졌어. 잡종이 우수한 경우는 식물뿐만 아니라 가축에서도 밝혀졌는데, 소의 경우 다른 종끼리 교배시키면 송아지를 낳는 비율이 10~20퍼센트 증가해. 여기에서 중요한 것은 우수한 잡종은 염색체의 구조가 다른 종끼리는 나타나지 않는다는 사실이야.

다윈은 이미 잡종이 우수할 수도 있고 그렇지 못할 수도 있음을 알았고, 잡종은 대개 불임성이지만 그 원칙이 반드시 지켜지지는 않는다는 것도 알았지만, 왜 이러한 차이가 생기는지는 몰랐어. 이는 유전학이 발전하지 못했던 시대에 살았던 다윈의 한계라고 할 수 있어. 다윈 스스로도 그 한계를 알았기 때문에 잡종이 불임이 되는 원인을 '생식 기관에서 알려지지 않은 차이' 라고 했던 거지. 그런데 불임의 원인을 모른다고 해서 다윈이 자신의 이론을 부정하는 것은 아니야. 이 장에서 다윈이 결국 하고 싶었던 말은 '종이 다른 개체끼리의 교배는 자손을 낳지 못하고, 잡종에서 발견되는 불임의 원인을 모른다고 하더라도, 새로운 종은 변종에서 시작되었다는 내 견해에 반대되는 현상은 아니다.' 였겠지.

제12장 진화의 중간 형태가 발견되지 않는 이유

고생대 페름기
드라이아이스기
중생대
쥐라기
백악기
신생대

수각룡
공룡 조상
악어류
용각류
조반류 공룡들
조류
익룡
악어

나는 앞에서 자연선택을 통해 살아남은 변종들은 조상들을 몰아내고 그 자리를 차지한다고 했지.
나가!

그렇다면 조상들과 변종 사이에는 중간 형태가 존재했을 거야.
조상
중간 종
중간 종
종

그런데 지질층에서 이들이 발견되지 않는 이유는 무엇일까?
?

이 모든 변화가 아주 천천히 일어났다면 지구의 나이가 그렇게 많은가 하는 질문도 나올 수 있겠지.

지구의 땅은 계속 침식되고 있어.

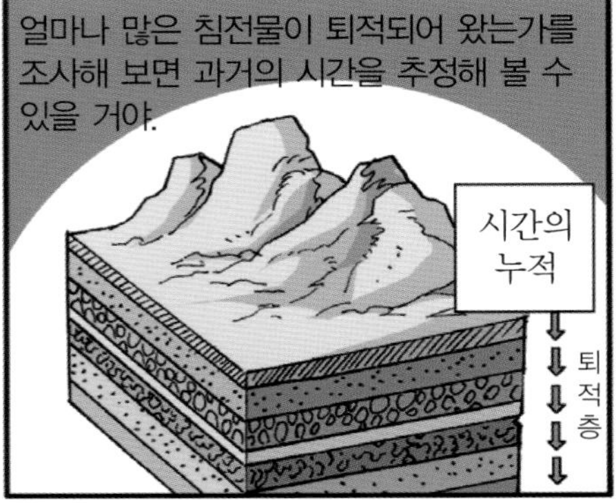
얼마나 많은 침전물이 퇴적되어 왔는가를 조사해 보면 과거의 시간을 추정해 볼 수 있을 거야.
시간의 누적
퇴적층

전 세계에 있는 퇴적층 더미는 엄청나게 두꺼워.
안데스 산맥의 코르디예라 산에는

자갈들 사이에 모래나
진흙이 채워진 퇴적암인
역암층이 있는데

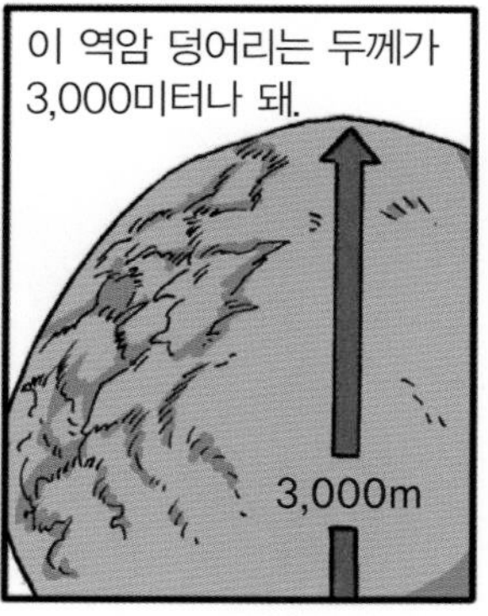
이 역암 덩어리는 두께가
3,000미터나 돼.
3,000m

거기에 포함된 닳고 닳은
자갈들을 보면 이 역암
덩어리의 나이를 짐작할 수
있지.

크롤은 강이 매년
실어오는 침전물의 양을
계산하여

300미터 높이의 바위가
허물어지려면

600만 년이 걸린다고
주장했어.

생물들이 변이를 일으키기에는
지구가 너무 젊다는 주장이 있지만
내 생각은 달라.
계산이
안 맞는다
이거지.
지구보다
조상님이
더 늙었어.

살아 있는 종과 멸종한 종
사이에는 중간 형태가 많았을
거야.
조상
중간 형태
엄청
많구나.

하지만 중간 형태를 가진 화석을
발견하기는 어려워. 남아 있는 지질학
기록이 불완전하기 때문이지.
뭔가
부족해.

그리고 종과 변종이 생기는 데
유리한 지역이 반드시 화석이
만들어지는 데 유리하지도 않아.
너무 덥고
습기가 많아 내 존재를
남기기가….

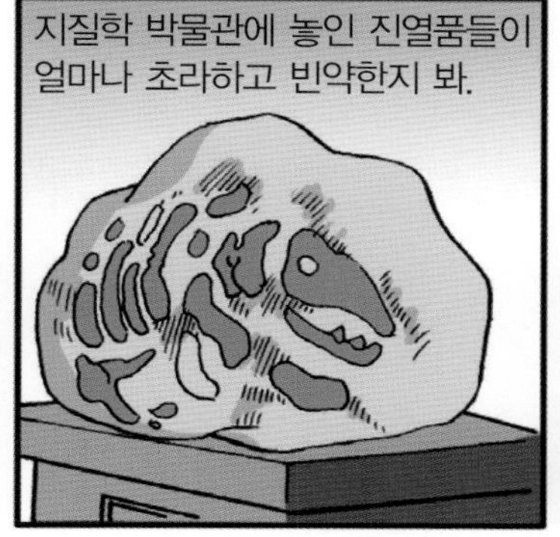
지질학 박물관에 놓인 진열품들이
얼마나 초라하고 빈약한지 봐.

화석으로 남은 종들은 대부분
하나뿐이고 그것도 일부잖아.

지구 상에서 조사된 지역은
일부에 불과하고

그나마 면밀하게 조사한
지역은 그리 많지 않아.

그러나 지층의 처음과 끝에 서로 연관성 있는
종들이 남아 있는 경우에도 중간 고리를 이루는
변종들이 발견되지 않는 이유는 무엇일까?
중간 종?

이에 대해서는 이유를 제시할
수 있어.

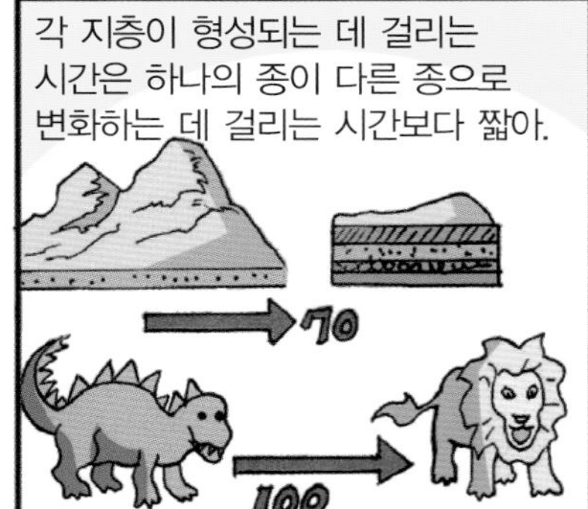
각 지층이 형성되는 데 걸리는
시간은 하나의 종이 다른 종으로
변화하는 데 걸리는 시간보다 짧아.
70
100

한 지층의 윗부분과 아랫부분에서 각각
어떤 생물의 두 형태가 발견되었다고
하자.

그렇더라도 그 둘 사이의 중간 고리를
이루는 변종들은 같은 지층에서
찾아내기
어려울
거야.
뼈는커녕
껍질 부스러기
하나 없어요.

왜냐하면 그러려면
퇴적층이 아주
두꺼워야 하고
퇴적층

또 그 생물이 아주 오랫동안 계속 같은
장소에 살았어야 하기 때문이지.
아무 데도
가지 않고
여기서만 살라고?

이런 일은 거의
일어나지 않아.
싫어!

또 어떤 지층에서 발견된 종이 이전에
다른 곳엔 없었다고 볼 수도 없어.
내가 살던
곳들이야.
북유럽
남미

그 종은 단지 그곳에 처음으로 이주해
온 것일 수도 있지.
여-이
반갑다.
윽!
경쟁자다.

예를 들어 어떤 동물이
북아메리카의 고생대 지층에서
먼저 나타나고
북아메리카

그 후에 유럽의
지층에서 발견됐다면
유럽

그 동물이 바다를 건너 유럽으로 이주하는 데
시간이 걸렸기 때문일 수도 있지.
유럽
드디어 유럽에
도착했다.

어떤 지층에서 생물 종의 전체
집단이 나타날 때가 있어. 일부
고생물학자들은 이것으로 진화론을
부정하지.
원래부터
이 모양.

자연선택에 의해
천천히 진화한다면
있을 수 없다는 거지.
각 종의
모습이
그대로잖소!

그 사람들은 앞선 시기의 지층에서 어떤 속이나
과가 발견되지 않으면 이전에는
존재하지 않았다고 주장해.
종이 발견된 층
조상
종이
없다는
거지.
?
오래된 지층

이들은 지질학 기록이
완벽하다고 생각하겠지.
화석에 없으면
없는 거야!

물론 지질학적 증거가 있으면
그 생물이 있었다는 것을
의미하지만

없다는 것이 원래 그 종이 없었다는
것을 증명하는 것은 아니야.
증거가
없잖아요.
그건
아니야!

지구 상에 살았던 모든 생물
종이 화석으로 남아 있을 수는
없어.

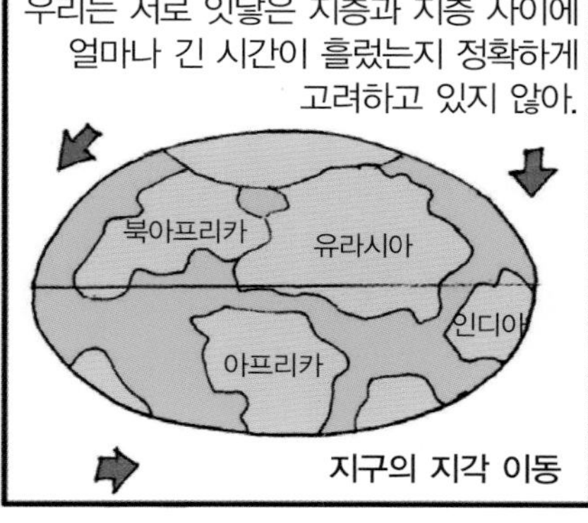
우리는 서로 잇닿은 지층과 지층 사이에
얼마나 긴 시간이 흘렀는지 정확하게
고려하고 있지 않아.
북아프리카
유라시아
인디아
아프리카
지구의 지각 이동

그 시간은 어떤 경우에는 아마도
각 지층이 축적되는 데 필요했던
시간보다 길었을 거야.
지층의 축적 시간

이러한 간격은 한 조상에서 여러 종들이 생겨날 시간을 주었을 것이고
조상
시간적 간격층
중간
종

바로 이러한 종이 다음 지층에서 돌연히 나타난 것처럼 보였겠지.

시조새라는 기묘한 새가 발견되었는데

이 새야말로 우리가 과거의 생물에 대해 모르는 것이 얼마나 많은지를 보여 주는 증거야.
우리는 모르는 것이 많다는 것을 인정해야 해.
미
발
견
종

지질학 기록이 완전하다고 믿는 이들은 자연선택 이론을 받아들이지 않겠지.
증거가 확실치 않잖아.

그러나 나는 현재 남아 있는 지질학 기록을 이렇게 비유하고 싶어.

지질학적 기록이란 계속 변화하는 사투리로 쓴 불완전한 세계사 책인데
그러니께… 거시기한 게….

우리는 그중에서도 고작 두세 나라를 설명한 마지막 권만 가지고 있다.
당최 뭔 소린지??

그리고 그 책마저도 여기저기 짧은 단원으로 끝나고 고작 몇 줄만 보존된 페이지도 있으며
쓰다 말았어.
완전한 게 하나도 없어.

각 단원이 조금씩 다른 언어로 쓰인 탓에 해석하기도 어렵다고.
외국어가 너무 많아. 헉헉!

이는 마치 서로 붙어 있지만 시간적으로 멀리 떨어진 지층들에서 나타나는 생명 형태들이 갑자기 변한 것처럼 느껴지는 것과 같아.
너는 얼마나 되었니?
이놈아 너보다 10억 년은 더 오랜 조상이다.

이것이 현재 우리에게 남은 지질학 기록의 현주소야.
차차 더 밝혀질 거야.

지질학적인 진화 과정
신생대
중생대
고생대
선캄브리아대
지질학적으로 볼 때 생물의 진화 과정은 어류 → 양서류 → 조류 → 포유류로 진화했다는 것을 알 수 있어.

화석과 지구의 나이

0.001퍼센트만이 화석으로

다윈은 《종의 기원》 출간 이후 평생동안 많은 반대에 직면했어. 반대 의견의 대부분은 종교계에서 제기된 것이었지만, 당시 화석을 연구하는 사람들도 그의 이론에 결함이 있다고 공격했지. 공격의 근거 가운데 하나가 중간 형태의 화석이 전혀 발견되지 않는다는 점이었어.

그런데 《종의 기원》 초판이 출간되고 2년이 지난 1861년에 시조새라 불리는 최초의 새 화석이 발견된 거야. 파충류와 조류의 중간 형태를 지닌, 다윈이 예측했던 바로 그런 종류의 생물이었어. 그러나 아쉽게도 다윈 시대에는 중간 형태를 보여 주는 화석이 그렇게 많지 않았어. 그런데 아직 과학자들이 찾지 못한 잃어버린 고리를 지질학적 조사가 충분히 이루어진다면 모두 찾을 수 있을까? 그렇지는 않아.

지구 표면을 이루는 층을 지각이라고 하는데, 지각을 이루는 암석은 퇴적암, 화성암, 변성암 세 종류가 있어. 그런데 화석이 발견되는 암석은 퇴적암뿐이야. 동식물의 화석이 만들어지기 위해서는 특별한 조건이 필요해. 우선 생물이 죽으면 빠르게 흙이나 화산재에 파묻혀서, 미생물에 의해 분해되지 않고 단단한 물질로 바뀌어야 해. 또 이렇게 묻힌 생물체가 오랜 세월 동안 그대로 유지되어야겠지. 퇴적암은 변성암으로 변하기도 하는데, 그러면 안에 있던 화석은 없어지고 말아. 이러한 어려운 과정을 거쳐서 화석이 만들어지기 때문에 이 모든 조건을 만족시키기란 쉬운 일이 아니야. 그래서 지구에 살았던 생물의 0.001퍼센트만이 화석으로 기록을 남긴다고 해.

지구는 몇 살?

다윈의 시대에는 지구가 얼마나 오래되었는지를 계산할 수 있는 정확한 방법이 없었어. 다만 다윈을 비롯한 지질학자들은 지구의 수많은 생물들이 진화해 온 것으로 볼 때 매우 오랜 시간이 필요했을 것이라고만 짐작했지. 다윈은 미세한 지질학적 변화가 일어나는데도 엄청난 시간이 필요하다는 점을 강조하기 위해서 《종의 기원》 초판에서 영국 남부에 있는 윌드 계곡이 형성되기까지 얼마나 오랜 시간이 걸렸는지 계산해 보였어. 그는 그 계곡이 형성되는 데 306,662,400년 즉 3억 년 정도가 걸린다고 밝혔지. 다윈은 이처럼 무모하리만큼 아주 정확한 숫자를 좋아했지. 그런데 다윈 이론에 반대했던 사람들은 이것을 두고, 증거가 없는 주장이라며 다윈 이론을 공격하는 빌미로 삼았지.

그런데 《종의 기원》 초판이 출간되고 나서 몇 년 후 지구의 나이를 계산하기 위한 최초의 본격적인 시도가 있었어. 당시 19세기 후반 영국의 물리학자였던 켈빈은 지구에서 발생하는 열을 연구한 결과 지구의 나이를 2,000만 년이라고 결론 내렸어. 다윈이 주장한 자연선택 이론이 작용하기에는 너무나 짧은 시간이었지. 다윈을 비롯한 대부분의 지질학자들은 지구가 형성된 지 수십 억 년이 지났다고 믿고 있었지만 당대에 가장 영향력이 있었던 켈빈의 주장에 매우 곤혹스러워했지. 그런데 켈빈의 주장이 틀렸다는 것이 밝혀진 것은 다윈이 죽은 다음이었어.

제13장 지질학으로 알 수 있는 생물의 계승

이제 지질학과 생물학에서 밝혀진 사실들이 종의 불변이라는 견해를 지지하는지
종의 불변
얘는 어제도 오늘도 내일도 개라는 거.
멍

자연선택에 따른 변화라는 견해와 일치하는지 알아보자.
자연이 널 택했구나.

새로운 종은 땅에서나 물에서나 매우 서서히 나타났고
육지에도 생물이 사는구나.
물속에서 어떻게 사니?

오래된 생물의 멸종과 새로운 생물의 출현은 서로 밀접한 관계를 맺고 있어.
변화하지 않으면 나도 저렇게 돼.

지구에 살던 생물들이 지구에 불어닥친 큰 격렬한 변화가 일어날 때마다 모두 사라졌다는 낡은 이론은 틀렸다는 것이 점차 밝혀지고 있지.

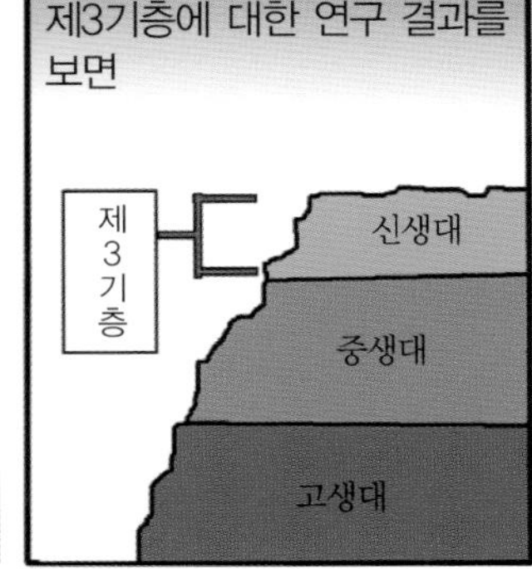
제3기층에 대한 연구 결과를 보면
제3기층
신생대
중생대
고생대

새로운 종이 서서히 계속적으로 나타났다는 것을 알 수 있어.

많은 패류와 갑각류 화석들은 이러한 변화를 말해 주지.

또한 밀접한 지층들을 비교해 보면 어떤 종이든 변화를 겪었지만 육지 생물은 바다 생물보다 더 빠른 속도로 변화한 듯해.
많이 변했구나?
육지 환경이 안 좋아서.

화석 기록들을 보면 많은 종이 멸종되었음을 알 수 있어.
갯나리류(고생대 극피동물) 화석

그 과정은 점진적이기도 했고 암모나이트처럼 급진적이기도 했지.

종의 멸종을 설명하는 다양한 이론들이 있지만 나는 자연선택론이 종의 멸종을 잘 설명할 수 있다고 믿으며

멸종은 새로운 종의 생성과 밀접한 관계가 있다고 봐.
멸종 조상
후손 종

제3기층을 잘 관찰해 보면 많은 종이 멸종되기 전에 그 수가 점점 줄어들고 있음을 알 수 있어.

그리고 우리는 인간의 손에 의해 멸종된 동물의 경우에도 비슷한 경로를 밟았다는 것을 알고 있지.
조상님, 죄송 합니다.
태즈메니아 늑대

자연선택 이론에 따르면 이미 있던 종은 새롭게 나타난 변종들과 경쟁을 하겠지.
주인님, 재는 누구예요?

변종들이 생존 경쟁에서 유리한 위치를 차지하게 되면
나는 찬밥 신세….
많이 먹어.

경쟁 관계에 있는 애초의 종은 그 수가 서서히 줄어들고 결국에는 사라지게 될 거야.
결국 밀려나고 마는구나.

생존 경쟁은 두 종이
가까울수록 격렬해지므로
너도 나도
풀을 먹으니….

한 종의 개량은 필연적으로 그 조상
종의 멸종을 가져오게 돼.
몸은
줄이고
육식도
같이하자.

그리고 애초에 특정 지역에서 발생한
종이 조상 종을 물리치고 성숙해지면
집단이 커지게 되고
변이한 후손들이
잘 사니 나는 간다.

집단이 커지면 그중 일부는 다른
지역으로 이동하겠지.
나는 더
좋은 데로
갈게.

이처럼 새로운 종의 집단이 급속히
커져 이주하면서 자기 영역을
확장하면

오래된 종은 그에 비례하여 빨리
사라질 거야.
옛날 조상들은
모두 사라지고
없구나.

이러한 자연선택 이론은
고생물학의 연구 결과에 의해
옳다고 밝혀지고
있어.
종의 기원

요즈음 고생물학의 가장 놀라운 발견은
생물들이 전 세계에 걸쳐 동시에
변한다는 거야.

전 세계의 백악기층은 비록 백악*을
포함하지는 않지만 화석의
분포에서는 비슷해.

***백악** – 단세포 생물의 껍질과 미세한 방해석의 결정으로 된 암석이다.

세계 각 지역에서 비슷한 시기의 화석들은 비록 모양이 같지 않고
같은 종이 아닐지라도 대체로 비슷하며, 그 위아래 지층에서
보이는 생물의 변화와도 비슷한 양상을 보여.
유럽의 백악기 지층
미국의 백악기 지층
공룡 화석

이렇게 비슷한 종의 광범위한 분포와
동시적인 변화는 자연선택 이론으로
쉽게 설명이 돼.

이것은 생존 경쟁에서 유리한 위치를 차지한 종이 서식 범위를 점점 넓혀 가고 이주한 지역의 환경에 맞게 변이하면서 새로운 종이 형성되었다는 것을 의미해.

화석 기록을 보면 수없이 많은 종이 멸종했다는 것을 알 수 있지.

그렇다면 이들은 현재 종들과 어떤 연관이 있을까?
왜 못난이로 변이한 거야?

쉽게 말할 수 있는 것은 종이 멸종한 시기가 오래될수록 현재 종과는 많이 다르다는 것이겠지.
하~이!
저 모습으로 어찌 살았누?

그러나 이미 멸종한 종이라고 하더라도 현재의 생물 분류 체계에 넣을 수가 있어.
생물 분류학

그들은 이미 만들어진 체계의 속과 목 사이의 간격을 메우는 데 도움이 될 거야. 조류와 파충류 사이의 넓은 간격은 타조나 시조새 그리고 공룡의 한 종류인 콤프소그나투스가 빈자리를 채울 수 있을 거야.
파충류
중간 종
조류

다만 이미 멸종한 종이 현재 존재하는 종의 중간이라는 것은

모든 형질에서 마치 평균을 낸 것과 같은 중간이 아니라 분화에서 거쳐온 중간 과정이라는 뜻이야.

$$\frac{\text{조류} + \text{파충류}}{2} = \text{시조새}$$

오스트레일리아의 동부에서 화석으로 발견된 포유류는 그 대륙에 현재 존재하는 유대류와 가까워.
내 후손들이 유대류구나.
오스트레일리아

그리고 남아메리카의 라플라타 강에서는 아르마딜로의 갑옷과 흡사한 거대한 갑옷의 단편이 발견되지.

남아메리카 지역에 많이 매몰되어 있는 화석 포유류의 대부분은
남아메리카

현재 이 지역에 살고 있는 생물들의 체형과 비슷한 면이 많아.

즉 같은 대륙에서는 멸종 생물들과 현존 생물들의 체형이 비슷하다고 할 수 있지.
나 닮았군.
조상님.

일부 학자들은 환경이 비슷하니까 이런 현상이 나온다고 설명하지만
자연 환경에 맞춘 거야.

이는 옳지 않은 해석이라고 생각해.

같은 지역에서는 비슷한 체형이 오래 지속되기는 하지만
먹이가 풍부하니까 여기서 오래 살자.

변하지 않는 건 아니고 계승된다고 할 수 있어.
넌 뿔이 없네.
작아진 것뿐이야.

세계 각 지역의 생물은 계속 후손으로 이어지면서 아주 흡사하기는 하지만

약간씩 변화된 자손을 그 지역에 남기는 경향을 띠게 될 거야.
나는 여기서 살게.
행운을 빌어.

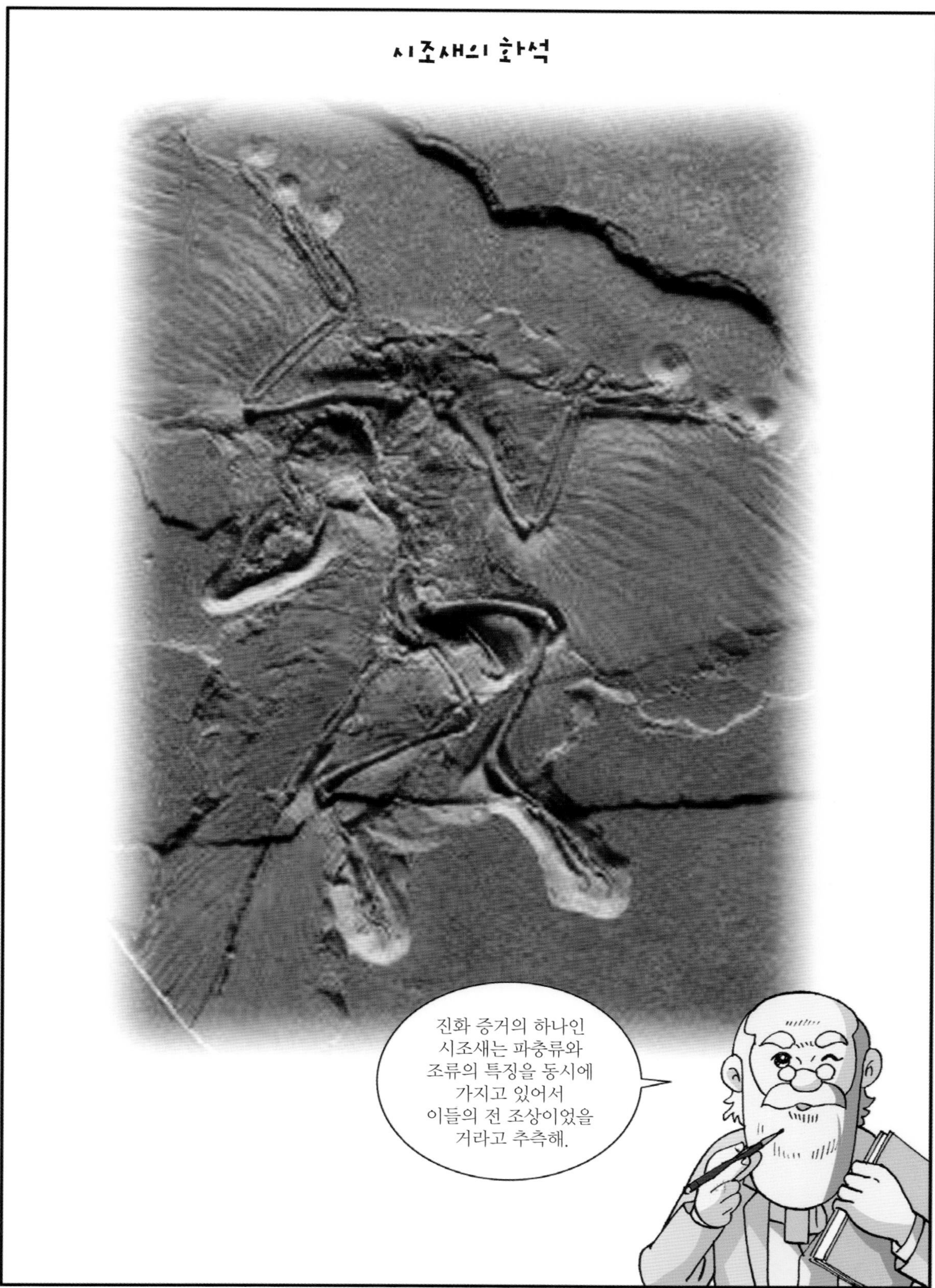
시조새의 화석
진화 증거의 하나인 시조새는 파충류와 조류의 특징을 동시에 가지고 있어서 이들의 전 조상이었을 거라고 추측해.

지구의 역사

지질 시대의 경계

지구의 역사를 처음으로 시대별로 구분했던 사람은 이탈리아의 아르뒤노였어. 그때가 1759년이었는데, 당시는 지질학이 본격적으로 발달하기 전이었지. 현대 지질학에서는 지구의 역사를 크게 네 부분으로 나눠. 지구가 만들어진 시기부터 배열하면, 선캄브리아대, 고생대, 중생대, 신생대의 순서지.

화석들은 시간의 흐름에 따라 생물의 진화 과정을 보여 주었는데, 이런 변화는 느리고 점진적이지만 때로는 매우 급격해서 어떤 지층과 다음 지층 사이에서는 많은 동식물이 완전히 사라지는 경우도 있었고, 또 갑자기 새로운 생물들이 번성하는 경우도 있었어. 지질 시대의 경계가 되는 것은 바로 이런 변화가 급격히 일어났던 시기들이야.

최근에 일어난 큰 변화는 신생대와 중생대 사이에 있었어. 지금부터 약 6,500만 년 전이지. 이때는 공룡과 함께 수많은 생물들이 갑자기 사라지면서 포유류가 번성하게 되는 계기가 마련되었지. 그전의 큰 변화는 2억 2,500만 년 전인 중생대와 고생대의 경계야. 이 시기에도 생물의 대멸종이 일어났어. 고생대의 바다에서 번성하던 무척추동물의 약 90퍼센트가 지구 상에서 사라졌지. 세 번째 경계인, 선캄브리아대와 약 5억 년 전의 고생대의 경계는 조금 달라. 앞의 두 경계가 커다란 멸종이 특징이라면, 이 경계는 생물의 폭발적인 증가가 특징이야. 캄브리아기에 다양한 생물들이 많이 등장한 것이지. 이를 흔히 '캄브리아기 대폭발'이라고 해.

멸종과 번성

다윈의 이론에 반대하는 사람들은 캄브리아기의 대폭발, 고생대 말과 중생대 말의 대멸종을 근거로 생물은 대량 멸종과 창조의 과정을 겪어 왔다고 주장했지. 캄브리아기의 대폭발에 대해서는 다윈 스스로도 '최초에 존재한 이 광대한 시기의 기록이 왜 발견되지 않는가 하는 의문에 대해 만족스러운 대답을 할 수가 없다.'고 고백하고 있어. 당시에는 선캄브리아기의 화석이 하나도 발견되지 않았기 때문에 이 문제와 관련해서는 다윈도 곤혹스러웠지. 물론 현재는 무척추동물을 포함한 선캄브리아대의 화석들이 많이 발견되었어.

다윈은 중생대 말의 대량 멸종을 예외적이라고 하면서 지질 시대의 대부분에서 멸종은 느리고 점진적으로 일어난다고 했어. 그런데 현재 밝혀진 바에 의하면 대량 멸종이 드문 것은 아니야. 지구의 역사를 보면 실제로 멸종은 두 가지 양상으로 나타나. 소규모로 천천히 연속적으로 나타나는 멸종도 있고, 지구 상에 사는 생물의 90퍼센트가 한순간에 죽어 버리는 대량 멸종도 있었어. 한순간이라고 해서 그야말로 하루아침에 일어나는 일은 아니고 수백만 년이 넘는 기간이지. 46억 년의 지구 역사에서 볼 때 상대적으로 짧은 기간이라는 의미로 생각해야 해. 학자들은 지난 6억 년 동안에 여섯 번의 대량 멸종이 있었고, 멸종 이후에는 이전에는 덜 번성하던 종들이 폭발적으로 증가한다는 사실을 확인했어.

제14장 지리적 분포

나는 지역마다 사는 생물이 비슷하거나 다른 이유를
나랑 다른걸.

기후와 같은 조건으로 설명할 수 없어 많이 고민해 왔어.
왜 그렇게 봐요?

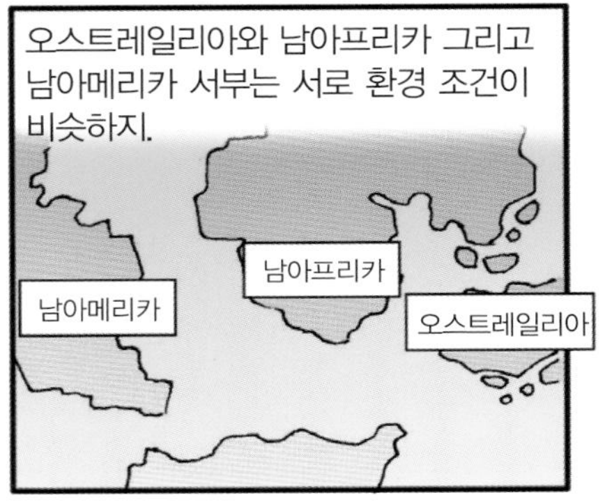

오스트레일리아와 남아프리카 그리고 남아메리카 서부는 서로 환경 조건이 비슷하지.
남아메리카
남아프리카
오스트레일리아

하지만 그 세 지역만큼 동식물이 서로 다른 곳도 없을 거야.

이것이 내가 지구 상의 생물 분포를 생각할 때 맨 먼저 떠오른 생각이고
어째서?

두 번째는 지역에 따라 생물들이 달라지는 것은 생물들이 자유롭게 이동하는 데 장애물이 있기 때문이라는 거야.
흑흑. 도망갈 데가 없네!

이런 사실은 유럽, 아시아,
아프리카 같은 구조의 대륙과
유럽
아시아
아프리카

신대륙 아메리카의 육지 생물이 크게 다르다는 사실을 보면 알 수 있지.
남아메리카

북극 지역만은 예외인데 이곳은 거의 육지로 연결되어 있고 기후 차이도 없어서 생물들이 자유로이 이동했기 때문일 거야.

오스트레일리아, 아프리카, 남아메리카 대륙은 위도가 같아 기후가 비슷한데도 생물들 사이에 차이가 있어.
빠이.

그것은 세 지역이 아주 멀리 떨어져 있기 때문이야. 이러한 현상은 같은 대륙에서도 나타나. 높은 산맥이나 넓은 사막 그리고 강으로 갈라진 지역의 양쪽에는

각각 서로 다른 생물들이 살고 있지. 물론 이 경우는 서로 다른 대륙의 생물들만큼 커다란 차이가 나지는 않아.
너무 튀나?
반갑다, 친구야.

그런데 같은 대륙이나 바다에 사는 생물들은 종 자체가 다르더라도 서로 닮아 있어.
혹시 삼촌?
킁킁…
음. 우린 아주 먼 친척뻘이야.

아메리카 대륙을 북에서 남으로 여행하다 보면

종은 다르지만 밀접하게 연관된 생물들이 잇달아 나타나는 것을 볼 수 있어.
찌르르 찌릉
찌르릉 - 찌릉 -
비슷한 언어네.

어떤 새들은 둥지도 매우 비슷하고 알도 색이 거의 같아.
너, 따라 했지?

아메리카 남단의 마젤란 해협 근처의 평원에는 아메리카 타조인 레아 한 종이 살고 있는데 같은 대륙 북쪽의 라플라타 평원에는 같은 레아에 속하지만 다른 종의 레아가 살고 있지.

남아메리카

이것들은 두 지역과 같은 위도에 사는 아프리카의 타조나 오스트레일리아의 에뮤와는 완전히 달라.
아프리카
오스트레일리아

그러니 각 지역마다 생물이 다른 것엔 환경 말고도 다른 이유가 있을 거야.
야행성 키위
나는 낮이 무서워.

나는 이것이 유전 때문이라고 생각해.

유전만이 서로 닮은 생물을 만들어 내기 때문이지.
많이 닮았네.
유전자가 같잖아.

즉 다른 지역에 사는 생물들이 서로 다른 것은 변이와 자연선택을 통해서 일어나는 변화가 다음 세대로 유전되기 때문이야.
엄마.

종이 어떤 형태로 발전한 것인지는 예측할 수 없고
땅돼지
쌍꺼풀 좀 생기는 쪽으로….

각 개체에게 이익을 주는 방향으로만 변화할 것이므로 종마다 다르겠지.
하이.
멋지다.

따라서 지역마다 다르게 변했을 거야.

그러면 종은 한 지역에서 창조되었을까?

아니면 여러 지역에서
창조되었을까?

내 생각에는 각각의 종은 한 지역에서
생겨난 다음에 멀리 떨어진 곳까지
이동한 것 같아.
다른 데로
가 보자.

물론 같은 종이 어떻게 한 곳에서
오늘날 발견되는 먼 지역까지
갈 수 있었는지
알아내기는
쉽지 않을 거야.
언제
거기까지?

생물들이 어떻게 이동했는지
설명할 수 없는 경우도 많았겠지만
전혀 불가능한 것은 아니야.
대륙
섬

기후의 변화는 이동에 아주
강력한 영향을 미칠 거야.

현재는 기후 때문에 생물이 지나갈 수 없는
지역도 기후가 달랐던 과거에는 쉽게
이동할 수 있는 통로였을 수도 있어.

땅 높이의 변화도
큰 영향을 미쳤겠지.

지금은 육지 사이를 연결하는 잘록한
땅 때문에 바다에 사는 동물들이
분리되어 있다 하더라도
친구야,
안녕!

그 땅이 물속에 잠기면 두 바다 동물은
서로 섞이게 되지.
이제 같이
있을 수
있겠지.

또 현재는 바다로 멀리 떨어져
있는 지역도

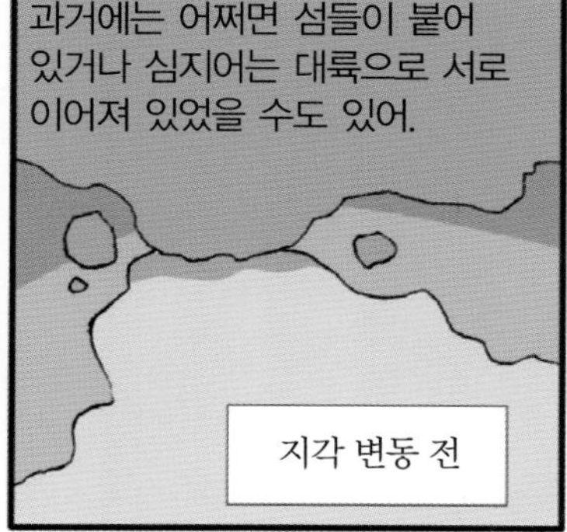
과거에는 어쩌면 섬들이 붙어
있거나 심지어는 대륙으로 서로
이어져 있었을 수도 있어.
지각 변동 전

그렇게 되면 육지 생물들이 한 지역에서
다른 지역으로 쉽게 이동할 수 있었을
거야. 원래 종은 이런 식으로 서식지를
넓혀 가.
아싸!
건넜다!

그렇다면 식물들은 어떻게
바다를 건널 수 있을까?

씨앗이 바닷물에 어느 정도
견딜 수 있는지 알고 싶어서

직접 실험해 봤어. 87종의 씨를 28일간
바닷물에 담가 두고 씨앗이 얼마나 오래
견디는지 보았지.

그랬더니 그중에서
64종이 발아했고

몇몇은 137일 동안 살아
있었어.
137

나 스스로 이러한
결과에 무척이나
놀랐지.

또 열매가 달린 식물이 홍수
때 바다로 떠내려가는 것을
보고는

열매 달린 식물의 줄기와 가지를
건조시켜 바닷물에 띄워 봤어.

대부분 금방 가라앉아
버렸지만 94종 가운데 18종은
28일 동안 떠 있었어.

이런 실험을 통해서 나는 식물 100종 중
14종의 씨는 28일 동안 바다에 떠 있을 수
있으며 싹을 틔우는 능력도 그대로라는
사실을 알았지.

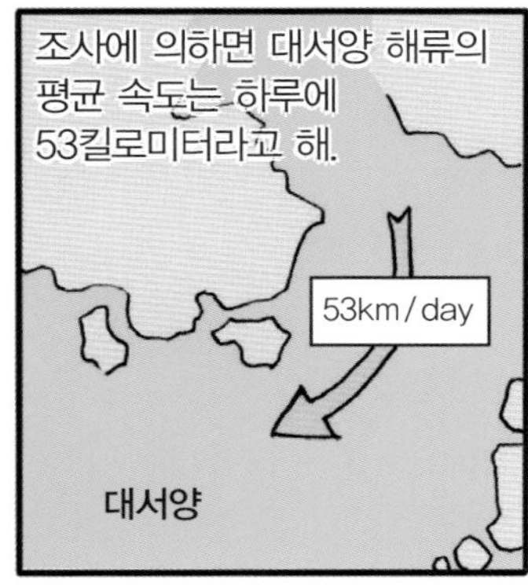
조사에 의하면 대서양 해류의
평균 속도는 하루에
53킬로미터라고 해.
53km / day
대서양

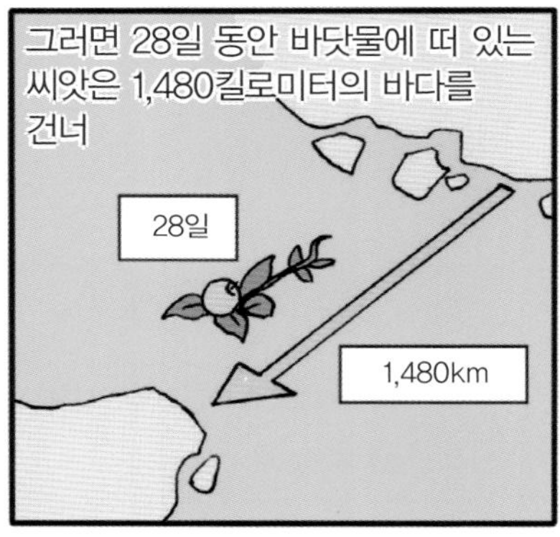
그러면 28일 동안 바닷물에 떠 있는
씨앗은 1,480킬로미터의 바다를
건너
28일
1,480km

싹을 틔울 수 있을 것이라고 생각할 수
있겠지.
힘들었지만
이 넓은 땅에
자손을 많이
남겨야겠다.

씨앗은 다른 방법으로도 퍼질 수 있어. 표류하는 나무는 광대한 바다 한복판에 있는 섬까지도 떠밀려 올라가.

태평양의 어떤 원주민은
우가가 우가….

전부 표류해 온 나무뿌리에 박힌 돌을 이용해 도구를 만든대.
우가 우가
차 가

때론 통나무가 섬에 표류해 오는데

가끔 돌이 뿌리에 박혀 있곤 해.

나는 돌이 나무 뿌리에 있을 때 작은 흙 덩어리가 씻겨 내려가지 않고

그대로 남아 있을 수 있다는 것을 발견했어.

나는 이렇게 흘러온 참나무 뿌리의 흙 덩어리에서 쌍떡잎 식물 세 개가 발아한 것을 보았어.

새도 씨를 전파하는 데 매우 효과적인 역할을 해.
제가요?

새들은 종종 강풍을 타고 바다 건너 먼 곳까지 날아가기도 하지.
태풍이 밀려온다. 모두 섬으로!

부드럽고 영양분이 많은 씨는 소화되어 버리지만 단단한 씨는 창자를 무사히 통과해.
어디로 가는 걸까?

더구나 새의 모이주머니는 위액을 분비하지 않기 때문에

씨앗이 발아하는 데 조금도 문제가 없어.

빙산도 흙이나 작은 나무 또는 새의 둥지를 싣고 옮겨 가.

북극과 남극의 씨앗들과 빙하기 때의 온대 지방의 씨앗들도 이런 식으로 이동했을 거야.
우리 이사 가요.

호수나 강은 육지와 바다라는 장벽에 막혀 서로 떨어져 있기 때문에

흔히 민물 생물은 널리 퍼지지 않을 거라고 생각하지.
그렇게 생각하면 섭하지요.

그러나 사실은 정반대야. 많은 민물 종들이 전 세계로 퍼져 있을 뿐만 아니라 비슷한 종도 널리 분포해.
우리는 번식력이나 적응력이 강해.

나는 브라질에 사는 육지 동물은 영국의 동물들과 매우 다른 데 비해

민물에 사는 곤충과 조개류는 양쪽이 비슷하다는 사실을 알고 놀란 적이 있었지.
?
스피킹 잉글리시?

민물 조개류는 알뿐만 아니라 조개 자체도 바닷물에서는 금방 죽어 버리기 때문에
에휴~ 짜다.

옮겨 가기 어렵거든.
죽은 걸 가져오면 어떡해.
엉! 그새 죽었네.

그러다가 내가 겪은 옛일이 떠올랐는데 그게 실마리를 제공해 주었어.
내 경험이 실마리를 찾아 줄 거야.

개구리밥으로 덮인 연못에 오리가 갑자기 나타났는데

그 등에 식물이 붙어 있는 것을 두 번이나 보았고
언제 거기에 올라갔니?

개구리밥을 한 양어장에서 다른 곳으로 옮기다가 나도 모르게 조개 몇 개를 옮긴 일도 있었지.

이 두 경험을 생각하면서 민물 조개 알들이 부화하고 있는 양어장에 오리 발을 매달아 실험을 했는데

갓 부화한 조그만 조개들이 오리 발에 빽빽이 달라 붙었더라고.

이 조개는 원래 물속에 살지만 공기가 습할 때는 오리 발에 붙은 채로 12시간에서 20시간까지 살아 있었어.

그만한 시간이면 기러기는 1,000킬로미터를 날아갈 수 있으며

바다를 건너 멀리 떨어진 대륙까지 갈 수도 있을 거야.

만약 기러기가 날아간 곳이 생겨난 지 얼마 안 된 섬이라면 아직 조개를 잡아 먹을 동물이 없을 것이므로

쉽게 살아남을 거야.
와~ 새 보금 자리다.

민물 식물도 많은 종이 멀리 떨어진 섬에까지 매우 넓게 분포하고 있어.

새의 발이나 부리에 붙은 아주 작은 흙을 통해 씨앗이 전파되기도 하지.
내가 멀리 옮겨 줄게.

현재 민물 식물이나 하등 동물이 전 세계에 널리 분포하게 된 것은
북아메리카
유럽
아시아
아프리카
인도
남아메리카
남극
호주

주로 동물들 특히 서식지를 옮겨 다니는 새들이 씨나 알을 퍼뜨린 결과라고 생각해.
안녕!
고마워~ 잘 가!

일반적으로 섬에 사는 종들은 같은 면적의 대륙에 사는 종들보다 그 수가 적어.
적으면 어때!

하지만 수가 적은 대신 고유종의 비율이 무척 높아.
개성은 강하잖아.

격리된 지역에 와서 그곳의 토착 생물들과 경쟁하는 와중에 종이 변했을 것이고
딱딱한 건 내 먹이.
구멍을 파서 애벌레를 먹지.
애벌레는 내가.
곤충은 내가 먹을게.

그 종들은 자손들에게 변화된 유전자를 남겼기 때문이겠지.
다른 새들과 경쟁하려면 특기가 있어야 해.
엄마, 나는 부리를 더 키울래요.

하지만 모든 생물들이 그런 것은 아니야. 갈라파고스 제도에서는 물새 26종 가운데 21종이 고유종인데

바닷새는 11종 가운데 단 2종만이 고유종이야.
구속이 싫어서 어디든 날아가지.

물새는 바다를 건너기가 힘들어 이 섬에서만 살겠지만
육지에 다녀 올게.
부럽다. 멀리까지 날 수 있어서.

바닷새는 별 어려움이 없이 육지에서 날아온 바닷새와 짝짓기를 했을 것이고 그래서 새로운 종으로 분화되지 않은 거지.
명문 가문은 함부로 종을 바꾸지 않지.

넓은 바다에 있는 섬들에는 일반적으로 개구리, 두꺼비, 도롱뇽과 같은 양서류가 살지 않아.
너무 멀어서 그런가요?

태평양의 뉴질랜드, 뉴칼레도니아, 솔로몬 제도, 인도양의 안다만 제도, 세이셸 제도를 제외하면 광활한 바다에 흩어진 어떤 섬에서도 양서류는 살지 않지.

하지만 이들 섬들이 양서류가 살기에 환경 조건이 맞지 않는 것은 아니야. 오히려 좋다고 할 수 있지.
저도 저 섬에서 살래요.

대서양의 마데이라 섬과 인도양의
모리셔스 섬에는 개구리가
들어오자마자 엄청나게 번식했어.
개골!

섬에 양서류가 살지 않는 이유는
그들이 낳은 알이 바닷물에서는
죽어 버리기 때문일 거야.
으악
짜~

창조론자들은 어째서 어떤 섬에는
양서류가 창조되지 않았는가를
설명하기 힘들 거야.
모든 게
주님의
뜻.

포유동물도 마찬가지야. 대륙에서
500킬로미터 이상 떨어진 섬에는
포유동물이 살지 않아.
요기서
어떻게
살어.
500KM

섬이 작아 살 수 없는 건 아니야.
우린 어디든
살 수 있어.

세계 각지에 있는 많은 섬들에서는
대륙 가까이만 있다면
포유동물이 있으며
뛰어 봤자
이 섬이야!

사람들이 데리고 들어간
포유동물들이 잘 번식하고
있기 때문이지.
양
셋…
양
하나.
양 둘.

늑대를 닮은 여우가
살고 있는 남아메리카의
포클랜드 제도는 하나의
예외라면 예외인데

이 제도는 육지와 600킬로미터가 떨어져 있지만
빙산이 바위들을 운반해 온 것으로 보아 여우도
빙산을 타고 이동했을 거야.
포클랜드 제도
와~
신세계다!

멀리 떨어진 섬에는 포유류가 없는
상황을 창조론자들은 어떻게
설명할까?
신의 깊은
뜻을 어찌
알려 함인가.

여러 화산섬들은 생겨난 지
충분히 오래되었고 또 다른
동물들이 많이 있는데 말이지.

이상한 것은 대서양의 섬에 육지
포유동물들은 없지만 하늘을
나는 포유동물은 많이 있다는
점이야.

뉴질랜드에는 그곳 고유종인
박쥐가 두 종류 있으며

뉴질랜드 위에 있는 노퍽 제도에도
섬 특유의 박쥐가 살고 있어.
자는 중.

창조주는 왜 멀리 떨어져 있는 섬들에
박쥐는 만들어 놓고 포유류는 만들지
않았을까?
그래서
외로워요.

나는 이 의문에 쉽게 대답할 수 있어.
육지 동물은 바다를 건널 수 없지만 박쥐는
날아서 바다를 건너갈 수 있기 때문이야.
너무
멀다.

박쥐의 많은 종들은
세계적으로 널리 분포하고
있으며 대륙에서 멀리 떨어진
섬에서도 발견돼.
나는야
황금박쥐!

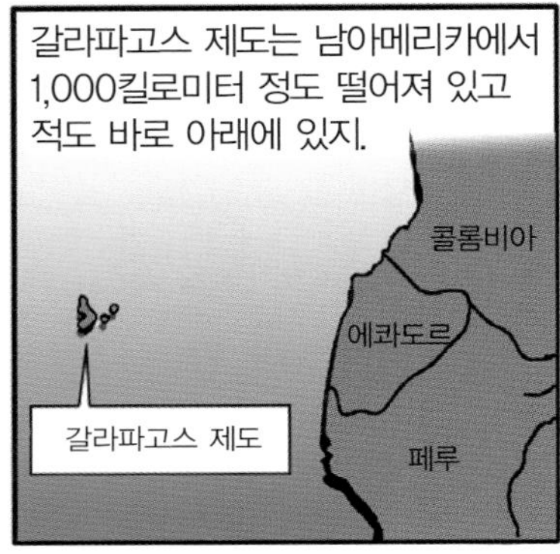
갈라파고스 제도는 남아메리카에서
1,000킬로미터 정도 떨어져 있고
적도 바로 아래에 있지.
콜롬비아
에콰도르
갈라파고스 제도
페루

이곳에서는 육지 생물이든 수중 생물이든
거의 모두가 아메리카 대륙에 사는
생물들과 비슷해.

왜 그럴까? 두 곳은 지질학적
성질이나 기후 조건이 다른데
말이지.
설명해 줘!

그리고 갈라파고스 제도는
카보베르데 제도와 비슷해서
카나리아 제도
아프리카
카보베르데
제도

섬의 기후와 크기 등 환경 조건이
같지만 두 곳에 사는 생물들은
완전히 달라.
개성이
강한 거죠.

갈라파고스 제도에 사는
생물들이 아메리카 대륙의
생물과 비슷한 것처럼

카보베르데 제도의 생물들은
가까운 아프리카의
생물들과 비슷해.
하이,
이웃사촌.

생물이 독립적으로 창조되었다는
이론으로는 도저히 설명할 수 없는
사실이지.
아~ 글쎄
신의 깊은
뜻이 계시다
니까요!

이런 예처럼 섬에 사는 고유종과
가까운 대륙의 생물은 비슷해.
자기야
뭐해?
자기
생각하지.

또한 섬들이 붙어 있는 경우에도
서로 비슷한 종들이 많이
사는데

이 종들은 가장 가까운 대륙에 사는 종들보다 훨씬 더
밀접하게 연관되어 있어.
재들끼린
더 친하구나.

섬들끼리는 대륙보다 훨씬 가깝기 때문에 이러한
현상은 당연하다고 하겠지.
대
륙

지금까지 나는 같은 종의 개체는
어디에서 발견되든지 모두 같은
조상에서 나왔다고
주장했어.
조상

그리고 그것들을 증명하기 위해
기후와 땅 높이의 변화 그리고
운반 수단의 다양함을
설명했어.

이제 독자들은 몇몇 동물 구역과 식물
구역을 분리할 때 바다, 산맥, 기후가
매우 중요하다는 사실을
이해할 수 있을 거야.

그리고 서로 다른 위도에 사는 생물들이 왜
서로 닮았는지, 기후나 토양과 같은 조건이
거의 같다고 하더라도 그런 지역에 사는 생물이
왜 그렇게 다른지도 알 거야.
어이~
왜?

오랜 시간을 두고 변화한
생명의 형태가 있는가 하면
먼 지역으로 이주한 다음
변화한 생명도
있어.
여~~
신세 좀 지자.

그러나 두 가지를 지배하는
법칙은 하나야. 바로
자연선택이지.

생물 지리학

이동을 가로막는 장벽

생물이 지리적으로 어떻게 퍼져 살고 있는지를 연구하는 학문을 생물 지리학이라고 하는데, 이번 장은 그에 대한 이야기야. 다윈은 남아메리카 대륙의 대초원 팜파스에 토끼가 한 마리도 없다는 사실을 발견하고는 무척 놀랐다고 해. 영국처럼 푸른 초원에서는 토끼들이 많이 뛰어다닐 것으로 생각했던 거지.

다윈은 생물의 지리적 분포를 연구하면서 자연선택과 유전 법칙이 옳다는 것을 다시 한 번 확인했는데, 이것만이 자신을 처음 어리둥절하게 했던 생물의 지리적 분포를 설명해 줄 수 있었기 때문이야. 다윈은 생물의 이동을 가로막는 장벽은 생물의 분포에서 매우 중요한 역할을 담당하는데, 이는 자연선택을 통한 느린 변화 과정에서 시간이 담당하는 역할에 견줄 수 있다고 했어. 그런데 다윈은 종이 어떻게 이동했는지 설명하기 어려운 경우도 있다고 자신의 한계를 인정하기도 하지.

다윈이 설명하기 어려웠던 부분은 20세기에 발달한 지질학으로 쉽게 설명이 돼. 바로 대륙 이동설이야. 아시아 대륙이나 아메리카 대륙 같은 큰 대륙이 움직인다는 이론이지. 남아메리카 동해안과 아프리카 서해안이 퍼즐 조각처럼 잘 들어맞는 사실에 주목한 사람들이 대륙이 서로 한 덩어리로 있다가 서로 갈라졌다는 이론을 17세기부터 내놓기는 했지만 19세기까지 대부분의 사람들에게 대륙이 움직인다는 것은 결코 있을 수 없는 일로 보였지. 다윈도 마찬가지 생각이었지. 그러나 20세기에 들어와 대륙 이동설은 사실로 확인되었어. 대서양은 지금도 1년에 3~4센티미터씩 넓어지고 있지. 이는 매우 느려서 우리가 살아 있는 100년 동안에는 거의 변화가 없지만 이것이 수억 년 동안 계속되면 수천 킬로미터까지 벌어질 수 있지. 실제로 대서양은 8,000만 년 전까지는 존재하지도 않았다고 해.

분기의 다른 경로

대륙들이 한때는 붙어 있었다가 분리되어 이동했다는 이론은 생물 지리학을 이해하는 데 아주 유용해. 실제로 대륙 이동은 생물의 진화에서 주된 역할을 하였어. 지금부터 3억 년 전에는 지구가 하나의 큰 대륙과 대륙을 둘러싼 하나의 커다란 바다로 되어 있었다고 해. 이 대륙을 판게아(Pangaea)라고 해. 그런데 판게아는 약 2억 년 전부터 몇 개의 대륙으로 분리되기 시작했지. 대륙이 멀어지기 시작하면서 개체군들이 지리적으로 다른 환경으로 분리되기 시작하고 각자 서로 다른 진화 경로를 따라 분기하게 된 거지. 그 결과 남아메리카와 아프리카에 사는 식물이나 동물들이 서로 달라지게 된 거야.

2억 년 전에 오스트레일리아와 다른 대륙은 하나의 판게아로 연결되어 있었지만 오스트레일리아 대륙은 점차 다른 대륙으로부터 분리되었어. 다른 대륙에서는 사자, 호랑이, 쥐, 코끼리 등과 같은 태반성 포유류가 크게 번성하면서 경쟁 관계에 있는 같은 포유류인 단공류나 유대류가 거의 자취를 감춘 반면, 오스트레일리아에서는 바늘 두더지나 캥거루 같은 단공류와 유대류가 계속 번성하고 다양한 종으로 진화한 거야. 그래서 다윈은 비글 호 여행에서 오스트레일리아 땅을 보고는 전혀 다른 세상이라고 했던 거야.

제15장 생물의 비슷함 – 형태학, 발생학, 흔적 기관

● 척추동물의 앞다리

사람 고양이 고래 박쥐

오랜 옛날부터 생물들은 여러 갈래로 분화해 왔어.

생물의 분류 방법은 그 계통의 유사점을 이용하는 거야.

얼음.
땡!

비슷한 생물들을 몇 개의 그룹으로 나누고 그 그룹을 비슷한 것끼리 또다시 묶어 나가는 방법이지.

결국 가까운 혈연 관계에 있는 생물들은 비슷한 집단으로 묶이고

그러면 이들의 공통 조상을 알 수 있고 자연의 체계도 알 수 있지.

공통 조상

형태학, 발생학, 흔적 기관에서 보면

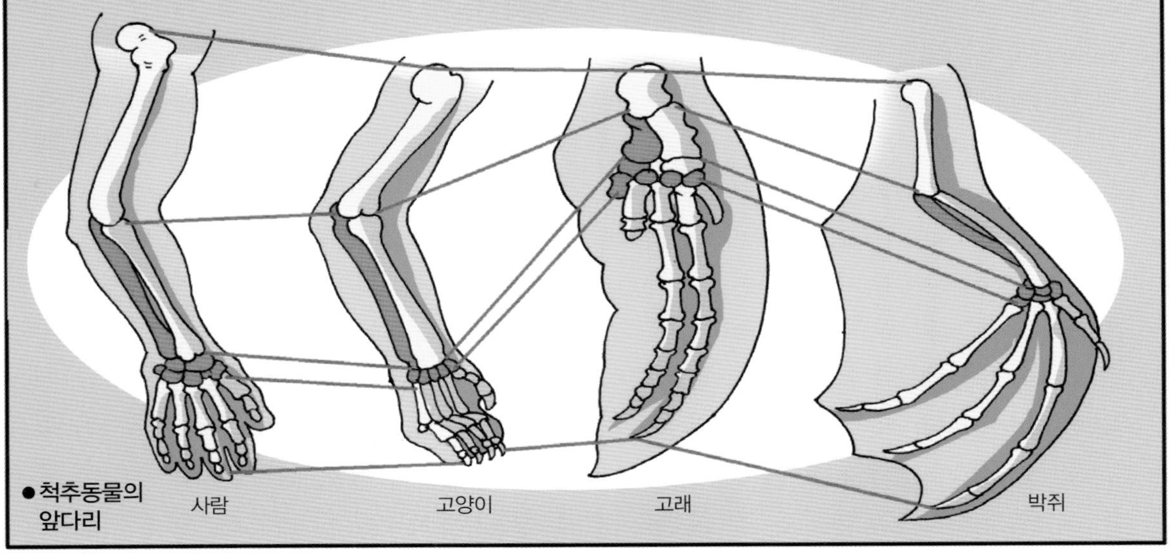

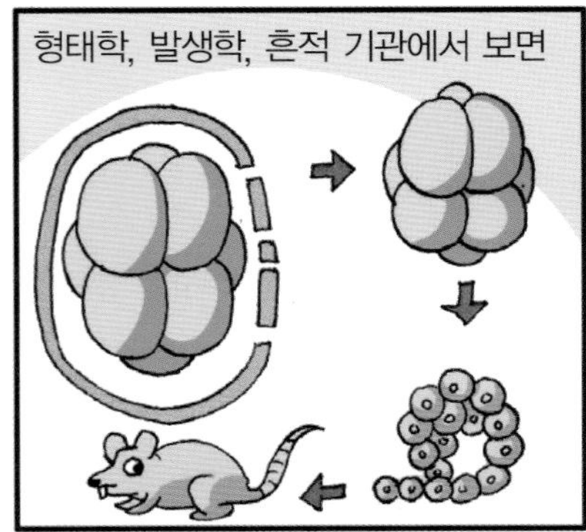

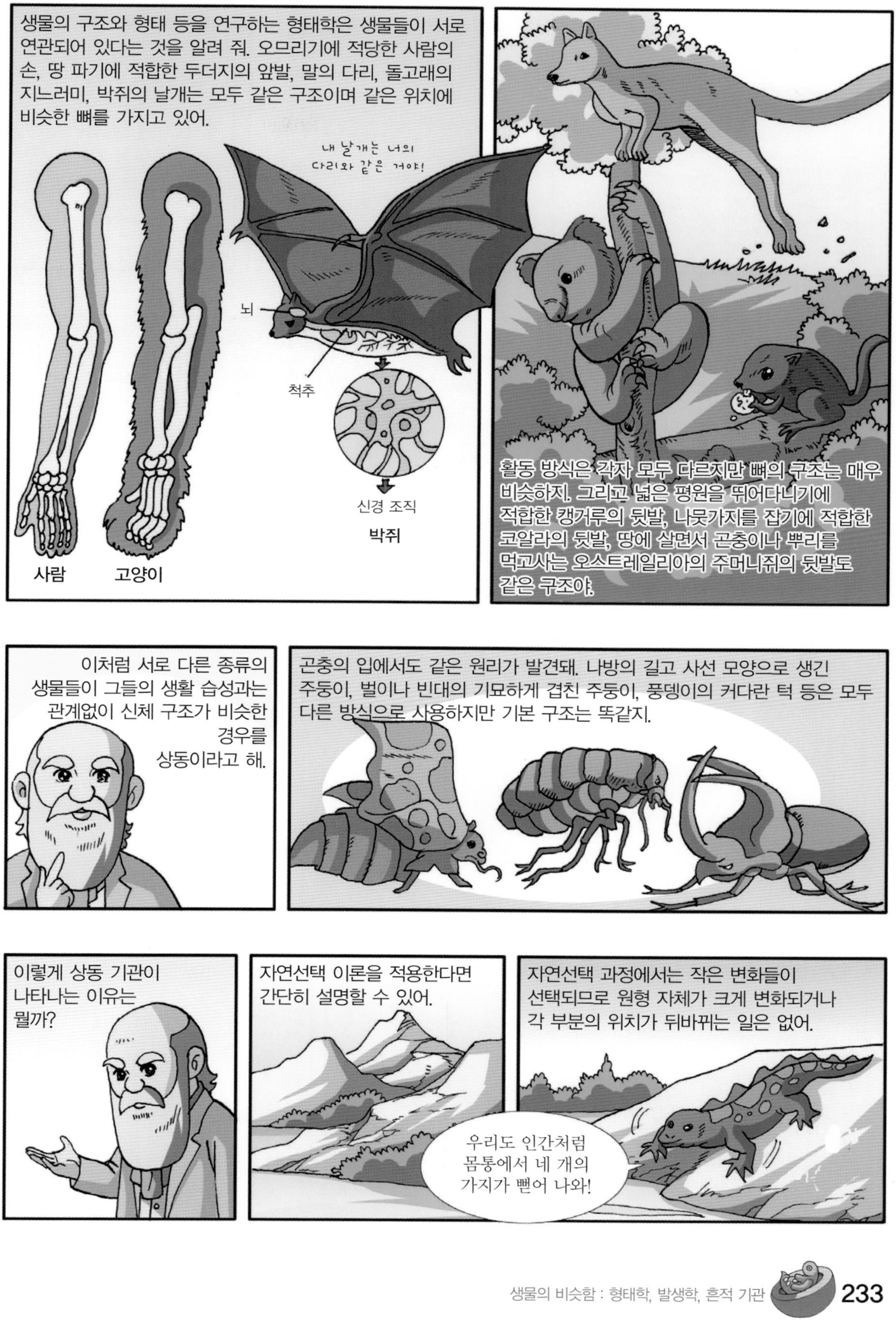

생물의 구조와 형태 등을 연구하는 형태학은 생물들이 서로 연관되어 있다는 것을 알려 줘. 오므리기에 적당한 사람의 손, 땅 파기에 적합한 두더지의 앞발, 말의 다리, 돌고래의 지느러미, 박쥐의 날개는 모두 같은 구조이며 같은 위치에 비슷한 뼈를 가지고 있어.

내 날개는 너의 다리와 같은 거야!

뇌

척추

신경 조직

박쥐

사람

고양이

활동 방식은 각자 모두 다르지만 뼈의 구조는 매우 비슷하지. 그리고 넓은 평원을 뛰어다니기에 적합한 캥거루의 뒷발, 나뭇가지를 잡기에 적합한 코알라의 뒷발, 땅에 살면서 곤충이나 뿌리를 먹고사는 오스트레일리아의 주머니쥐의 뒷발도 같은 구조야.

이처럼 서로 다른 종류의 생물들이 그들의 생활 습성과는 관계없이 신체 구조가 비슷한 경우를 상동이라고 해.

곤충의 입에서도 같은 원리가 발견돼. 나방의 길고 사선 모양으로 생긴 주둥이, 벌이나 빈대의 기묘하게 겹친 주둥이, 풍뎅이의 커다란 턱 등은 모두 다른 방식으로 사용하지만 기본 구조는 똑같지.

이렇게 상동 기관이 나타나는 이유는 뭘까?

자연선택 이론을 적용한다면 간단히 설명할 수 있어.
우리도 인간처럼 몸통에서 네 개의 가지가 뻗어 나와!
자연선택 과정에서는 작은 변화들이 선택되므로 원형 자체가 크게 변화되거나 각 부분의 위치가 뒤바뀌는 일은 없어.

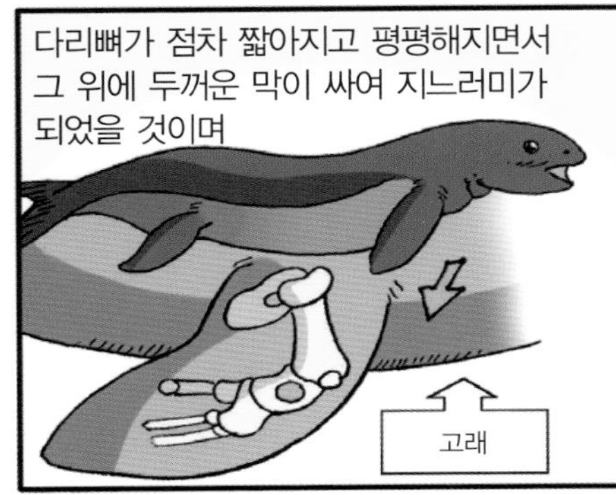
다리뼈가 점차 짧아지고 평평해지면서
그 위에 두꺼운 막이 싸여 지느러미가
되었을 것이며
고래

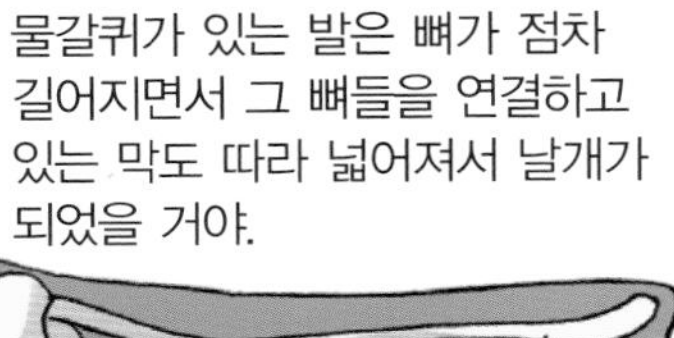
물갈퀴가 있는 발은 뼈가 점차
길어지면서 그 뼈들을 연결하고
있는 막도 따라 넓어져서 날개가
되었을 거야.

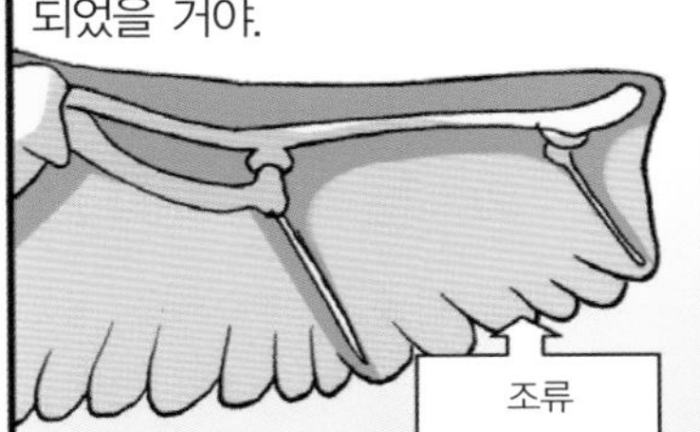
조류

따라서 그것을 이루는 뼈의
순서가 바뀌지는 않는 거지.

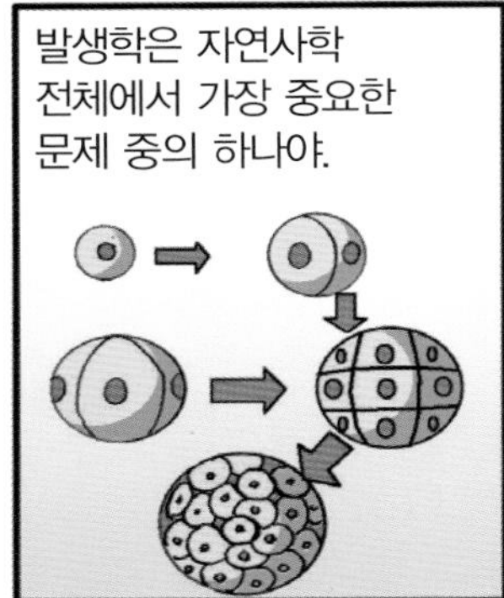
발생학은 자연사학
전체에서 가장 중요한
문제 중의 하나야.

곤충의 탈바꿈은 몇 개의 단계에 따라
갑자기 이루어지는 것이지만, 실제로
탈바꿈은 수없이 많은 점진적인 단계로
이루어져.

곤충 특히 어떤 갑각류를 보면
발생 과정에서 아주 놀라운 구조적
변화가 일어나지.

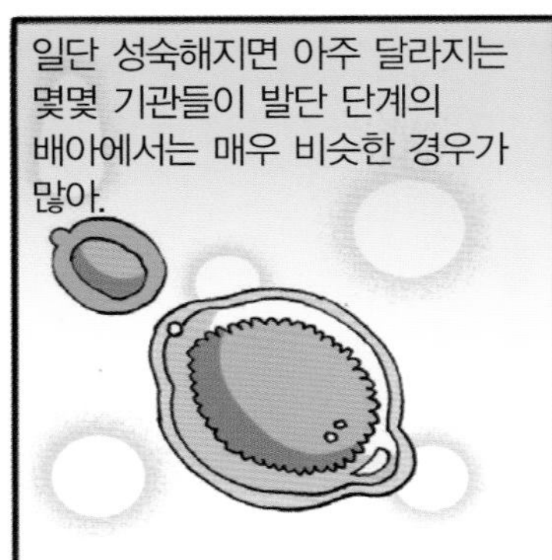
일단 성숙해지면 아주 달라지는
몇몇 기관들이 발단 단계의
배아에서는 매우 비슷한 경우가
많아.

같은 강(綱)에 속하는 다른 동물의
배아도 또한 종종 아주 닮았지.
누구 새끼야?

발생학을 연구하던 폰 베어는
포유류, 조류, 도마뱀 및 거북이의
배아도

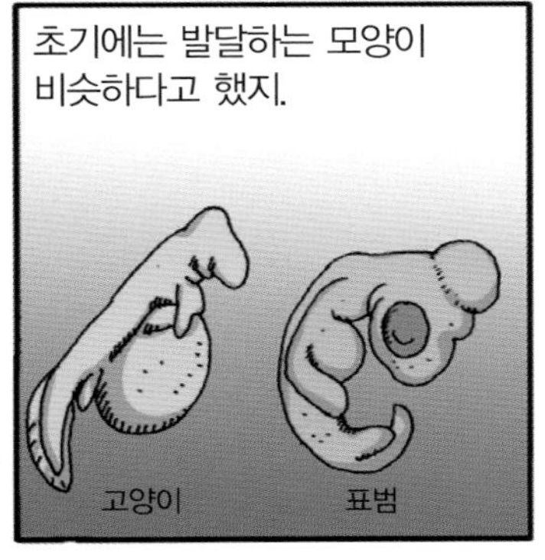
초기에는 발달하는 모양이
비슷하다고 했지.
고양이
표범

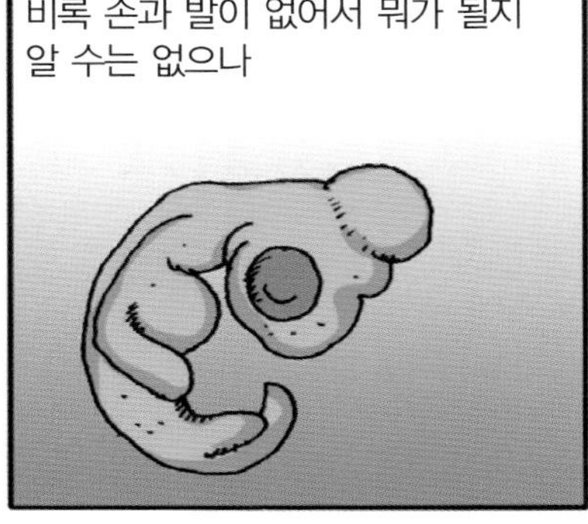
비록 손과 발이 없어서 뭐가 될지
알 수는 없으나

설사 있다 하더라도 모든 종이 다
기본적인 형태로부터 발생한 것이므로
그 배아가 뭐가 될지는 알지 못할
것이라고 했어.
배양 단계

대부분의 갑각류는
아무리 다르더라도

발생 단계에 있는
유충끼리는 서로 매우
비슷해.

동물에서도 마찬가지야. 비교 해부학자인 퀴비에조차
따개비가 갑각류라는 것을 알지 못했지.
나는 진화론을
반대하지만
비교 해부학에서는
최고야!

하지만 유생을 보면 그것이 갑각류임을 바로
알 수 있어. 만각류는 두 종류로 나뉘는데 비록
성체들은 다르지만 유생들은 아주 닮았어.
해파리
거북손
히드라
따개비

왜 배아일 때는
비슷했다가 나중에
달라질까?

이것도 변이와 자연선택 이론으로
설명할 수 있어. 동물들이 진화하는
동안 변이가 일어나는데
어디서
살까?

이 변이가 처음부터 작용하는
것이 아니라 나중에
작용하기 때문이지.
크니까
새끼를
알아
보겠네.

소나 말의 어린 새끼들이 자라서
어떤 특징을 가질지 미리 알 수는
없어.
커서
뭐가 될래?
소….

우리 아이들도 마찬가지야. 아기가 막
태어났을 때는 서로 얼굴이 비슷비슷하지.
누가 우리
아기야?
엄마는
알지.

또한 아이의 키가 클지
얼굴 모습이 어떻게 될지도 미리
예측할 수 없어.
너무
기대하지는
마세요!

그런 형질들은 좀 더
자라야 나타나기 때문이야.
방학 동안
많이 컸네.

물론 어떤 동물들은 새끼 때나 혹은
배아 상태에서부터 부모의 형태를 닮아.
오징어, 민물 갑각류, 거미는 탈바꿈을 하지
않고 처음부터 부모와
똑같은 형태를 가져.

엄마,
우리들 중 누가
제일 예뻐요?

그 이유는 이들 새끼들이 매우 이른 시기부터 스스로 먹이를 구해야 하고
어려서부터 고생이구나.

생활 습성도 부모와 똑같기 때문이야.

이제 대다수의 학자들이 다 자란 성체의 구조보다 배아의 구조를 더 중요하게 생각하는 이유를 이해하겠지?

결국 어떤 동물들이 다 자랐을 때의 형태는 모두 다르더라도
설마 우리 조상님도… 하나…?

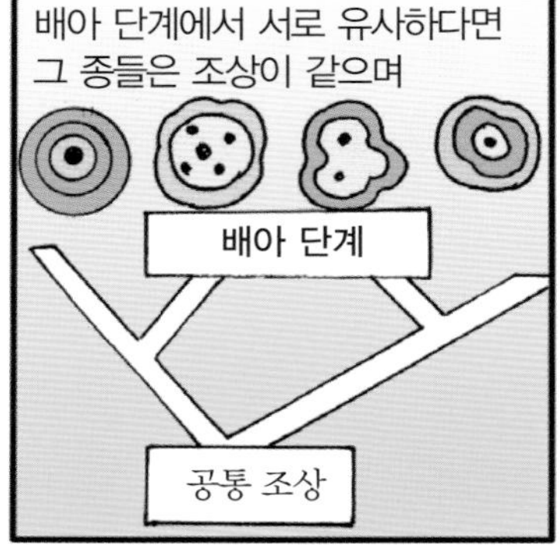
배아 단계에서 서로 유사하다면 그 종들은 조상이 같으며
배아 단계
공통 조상

그래서 서로 밀접하게 연관된 종이라고 할 수 있어.
우리도 먼 친척이야.
반갑다.

배아의 구조가 같다는 것은 유래가 같다는 뜻이야.

배아의 상태는 오래된 조상의 구조를 보여 주므로
조상
배아
할아버지!
배아를 연구하면 이들의 조상을 알 수 있지.

우리는 멸종한 생물들이 그들 자손의 배아를 닮을 수밖에 없는 이유를 이제 분명히 이해할 수 있을 거야.

흔적 기관이란 현재 쓰지 않으면서 흔적만 남아 있는 기관을 말해.
젖꼭지가 좀 쑥스러워!

쓸모도 없으면서 남아 있는 이상한 상태의 기관들은 자연계에서 흔히 볼 수 있지.
나는 눈이 흔적 기관이야.
동굴 도롱뇽
바닷속 깊이 살고 있어서 눈을 쓸 일이 없어.
심해어

수컷의 젖꼭지는
?

필요 없는 기관이겠지.
아빠는 젖이 왜 안 나와!
흔적 기관이니까.

그러므로 수컷에게 젖꼭지는 흔적 기관이라 할 수 있어. 날개가 있지만 전혀 날지 못하는 새는 바로 그 날개가 흔적 기관이지.
새긴 새라구.
날지는 않지만.

흔적 기관이 균형을 위해 또는 자연의 계획을 완성하기 위해 창조된 것이라고 말하는 학자들이 있는데
빛이 있으라.

이것은 설명이 아니라 사실을 고쳐 말한 것에 불과해.
그냥 믿어!

태양계의 행성들이 각자의 균형을 위해서

그리고 자연의 계획을 완성하기 위해서 타원 궤도를 그리며 돈다고 할 수 있을까?
주님의 계획하에.

그렇지 않아.
설득력 없어.

흔적 기관은 원래 자연선택에 의해 생겨났지만 다시 필요 없게 되면서 퇴화되어 흔적만 남게 된 거야.
꼬리
자연선택
퇴화
자연선택
흔적 기관
현재

그런데 기관의 퇴화는 그 생물이 모든 능력을 충분히 발휘할 때 일어나기 때문에 배아 단계에서는 영향을 받지 않아.
조상

그래서 배아 단계에서 흔적 기관이 더 크게 보이는 거지.
나도 엄마 뱃속에서는 꼬리가 있었대.

흔적 기관의 존재는 창조론에서처럼 어려운 문제를 일으키기는커녕 오히려 유전 법칙으로 설명할 수 있는 가능한 현상이지.
아무렴 그렇고 말고.

비교 해부학과 비교 발생학

상동 기관의 존재 가치

비교 해부학이란 서로 다른 종의 신체 구조를 비교, 분석하는 학문이야. 많은 생물들의 형태에서 보이는 공통점을 분석해 보면, 이들이 공통 조상에서 유래했다는 결론을 얻을 수 있지. 다윈이 예로 들어 설명하고 있듯이 사람의 팔, 고양이의 앞다리, 고래의 옆 지느러미, 박쥐의 날개 등은 기능은 많이 달라도 뼈대 구조는 같아. 이들 모두 포유류에 속하고 같은 조상에서 유래되었다고 생각한다면 이들 구조가 비슷한 것이 전혀 놀랄 만한 일은 아니야.

이처럼 동일한 기관에서 유래되어 그 구조가 비슷하지만 기능이 서로 다른 것을 상동 기관이라고 해. 상동 기관은 식물에서도 많아. 식물에서 잎은 기본적으로 광합성을 하도록 진화되었지만 광합성 이외의 다른 기능을 위해 변형된 경우도 많지. 선인장의 가시와 완두콩의 덩굴손은 모양이 아주 다르지만 상동이야. 왜냐하면 둘 다 잎에서 변형되었기 때문이지. 선인장의 가시는 줄기 조직을 보호하도록 진화했고, 완두콩의 덩굴손은 어떤 것을 휘감는 능력으로 올라가는 줄기를 보호하도록 진화한 거야.

유사한 발생 과정

또 다른 진화의 증거는 발생 과정에서 발견할 수 있지. 대부분의 다세포 동물은 암컷과 수컷이 나뉘어 있어서 이들 각각이 생식 세포 즉 정자와 난자를 만들고 이들이 결합해서 수정란을 만들지. 수정란에서 성체(成體) 혹은 성충(成蟲)이 되는 과정을 발생(發生)이라고 해. 배아(胚芽)는 어린 싹을 의미하는 말인데, 발생 초기 단계를 말해. 사람으로 따지면 임신 초반 2개월의 기간이지.

진화적으로 연관되어 있는 개체들은 배아 발생 과정 역시 매우 비슷해. 척추동물들은 물고기, 개구리, 뱀, 새, 사람 등에 관계없이 모두 머리와 몸통 사이에 공통적으로 여러 겹으로 갈라진 부위가 있는데, 초기에는 모습이 거의 비슷해. 하지만 발생이 진행하면서 모습이 조금씩 달라져서 어류는 아가미로 발전하지만, 사람에서는 귀, 편도, 성대 등으로 변하지.

쓸모없는 기관

다윈이 마지막으로 말하는 진화의 증거는 흔적 기관이야. 생물은 겉으로 보기에도 쓸모가 없는 기관을 많이 가지고 있어. 사람에서는 충수돌기, 꼬리뼈, 사랑니, 귀를 움직이는 근육 등 100개 이상의 구조가 흔적 기관으로 생각되고 있어. 고래와 비단뱀은 아무런 필요도 없는 뒷다리 뼈를 가지고 있고, 돼지는 땅에도 닿지 않아 쓸모없는 발톱을 가지고 있으며, 키위와 같이 날개가 없는 새는 날개뼈를 가지고 있고, 시력이 필요 없이 굴을 파거나 동굴에서 살고 있는 동물은 기능이 없는 눈을 가지고 있지. 이러한 현상은 새로운 종이 만들어질 때 무(無)에서 만들어지는 것이 아니고 이미 있었던 종이 변해서 만들어지기 때문이지. 만약 흔적 구조가 새로운 생물에 해로운 것이었다면 그것을 완전히 제거하기 위한 자연선택의 압력이 강했겠지만 그 압력이 약한 것이라면 흔적 구조는 이후에도 계속 남아 있게 되겠지.

제16장 요약과 결론

나는 지금까지 종들이 오랜 진화 과정을 거치면서 점차 변해 온 증거를 제시했어.
끙차.
내 무게의 100배 이상 밀지.

내 이론을 잘못 이해한 이들은 내가 종의 변화를 오로지 자연선택에서만 찾는다고 하는데
모두 자연 탓?
맞아.

나도 자연선택이 주요한 원인이라고 확신하지만 유일한 원인이라고 생각하지는 않아.
다른 원인도 많을 거야.

일부에서는 생명의 기원 같은 문제에 대해서는 과학이 아무것도 밝혀낼 수 없다고 주장하지만
신의 영역에 감히 인간이!
성경

하나의 종에서 다른 종들이 탄생했음을 인정하지 못하는 이유는
몰라! 안 믿어.
우린 같은 조상에서 나왔어요.

우리가 그 단계를 직접 보지 못했기 때문이야.
우리 머리로는 100만 년이라는 시간의 의미도 충분히 파악할 수 없어.

하물며 수많은 세대 동안 쌓여 온 변이들이 합쳐서 나온 결과를 어찌 쉽게 받아들일 수 있겠어?
진화에 진화를 거듭….
창조 때부터 그대로인데.

나는 이 책에서 말한 내용을 조금도 의심하지 않아.
종의 기원
찰스 다윈

그렇다 해도 오랜 세월 나와 정반대의 이론을 연구한 학자들이 동의하기 쉽지 않다는 것도 알아.
뭘~? 큭큭.
믿어 봐요.

설명할 수 있었던 상당수의 사실보다 설명하지 못한 어려움에 더 큰 비중을 두는 사람들이라면 틀림없이 내 이론을 거부할 거야.
우리 집안에 원숭이 조상이?
너의 설명은 불완전해!

하지만 생각이 열려 있고 종이 변할 수 있다고 생각하기 시작한 학자들은 이 책에서 많은 영향을 받을 거라고 생각해.
정말 날았었어?

나는 의문점들을 편견 없이 보려는 젊은 학자들에게 기대를 걸고 있어.

종의 변화를 믿게 된 사람이 자신이 확신하는 바를 양심적으로 표명하기만 한다면
닭의 날개는 흔적 기관이
확실합니다.

이 문제를 둘러싼 편견이 굴레에서 조금씩 벗어날 수 있겠지.
창조
진화

나는 이전에도 많은 학자들에게 진화론에 대한 내 견해를 얘기했지만 동의하는 사람은 별로 없었어.
말도 안 돼!

진화를 믿었던 학자도 있었겠지만 침묵을 지키거나 애매하게 표현해서 그 뜻을 이해하기 어려웠지.
에~ 그니까.
저기~.

이제는 상황이 변화해 거의 모든 학자들이 진화의 원리를 인정하고 있어.
진화

하지만 지금도 여전히 생물들이 하루아침에 창조되었다고 믿는 사람들이 많아.
주님을 부정하는 자 천벌을….

이 책에서 나와 월리스가 주장하는 견해, 즉 종의 기원에 관한 견해가 널리 인정되면 그때는 자연사 학문에서는 중대한 혁명이 일어날 거야.

놀라운 기계 발명품도 모두 수많은 기술자들의

노력과 경험, 추리, 잘못과 실수까지 더해진 결정체지.

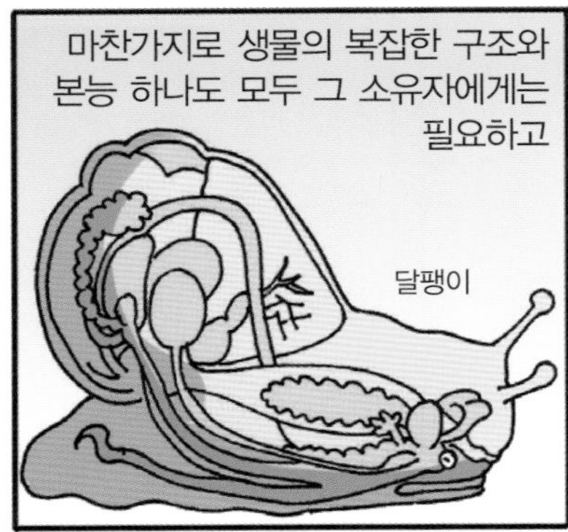
마찬가지로 생물의 복잡한 구조와 본능 하나도 모두 그 소유자에게는 필요하고
달팽이

쓸모 있는 장치들의 총집합이라고 볼 수 있지.

우리가 각각의 생물을 이러한 눈으로 바라볼 때 생물학 연구는 얼마나 흥미진진해질까?
오~ 신비로워!

과거의 사실을 근거로 판단해 보면 현재 존재하는 생물들 중에서

먼 후손들에게 지금의 모습을 그대로 전할 수 있는 종은 단 하나도 없을 거야.
왠지… 슬퍼지네.

환경에 더 잘 적응하는 변종을 자연은 끊임없이 선택하기 때문이지.
나는 어떤 종이 진화한 생물일까요?

지금까지의 연구에 따르면 대부분의 종들이 전혀 자손을 남기지 못하고 멸종해 버렸어.

따라서 현재 살고 있는 생물들 중에서 아득한 미래에까지 자손을 남기는 경우는 드물겠지.
저들은 누구의 후손일까?

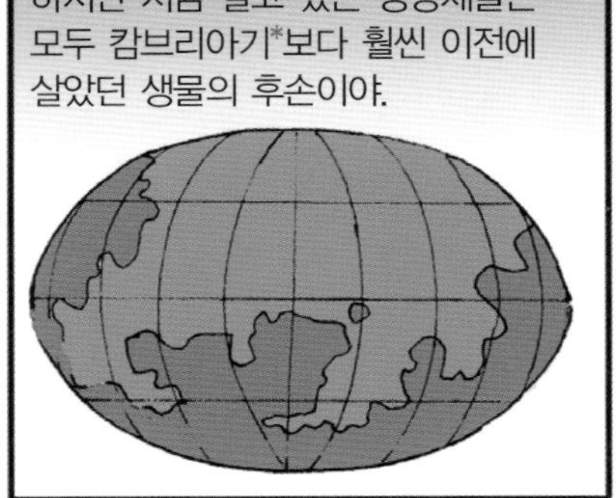
하지만 지금 살고 있는 생명체들은 모두 캄브리아기*보다 훨씬 이전에 살았던 생물의 후손이야.

* 캄브리아기 : 고생대의 첫 시기로 지금부터 약 6억 년 전부터 5억 년 전까지의 기간.

그만큼 오랜 세월 동안 생물은 대를 이어 왔고
어떤 천재지변도 지구를 한꺼번에 황폐하게
만들지 않았어.
용암

따라서 우리는 믿음을 갖고
먼 미래를 내다봐야 하겠지.

숲에서 지저귀는 새와
날아다니는 곤충들

축축한 흙 속으로
기어 다니는 벌레들

갖가지 식물들로 덮여 있는 강기슭을
눈여겨보면 서로 매우 복잡한
방식으로 의지하고 있다는 것을
알 수 있지.

각각의 다른 생물들이 매우 정교하게
만들어지고 매우 복잡한 방법으로 의존하고
있는 현상들이

어떤 필연적인 법칙에 따라
만들어졌다고 생각하는 것은
아주 흥미로워.

높은 번식률과 생존 경쟁,
자연선택으로 인한 형질의 분화,
멸종 등의 법칙으로
말이야.

이렇게 해서 우리가 가장 고귀한 일이라
할 고등 동물의 출현은 대자연의 투쟁,
기근과 죽음에 뒤이어
나타난 거야.

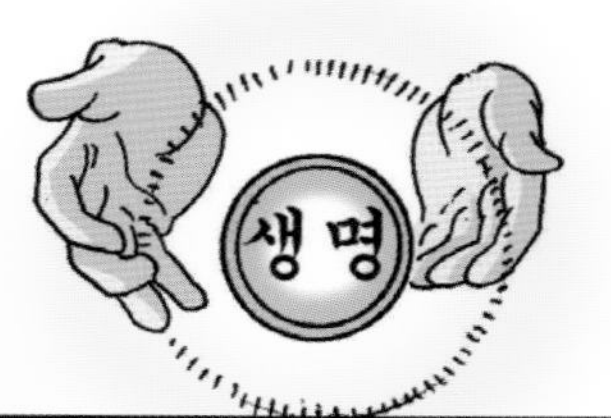
태초에 세상을 만든 신은 소수의
또는 하나의 형태에 생명을 불어
넣으면서 몇 가지 능력을
주었어.
생명

그리고 이 행성이 확고한 중력의
법칙에 따라 돌아가는 동안 오늘날
무수한 생물들은 단순한 형태에서
지금의 복잡하고 아름다운 모습으로
진화해 왔으며

현재도 진화하고 있지. 그리고 이러한
세계관에는 생명의 세계에 대한 숭고한
웅장함이 깃들어 있단다.

찰스 다윈 종의 기원

최현석 글 | 조명원 그림

01 《종의 기원》을 쓴 사람은 누구일까요?

① 아인슈타인 ② 찰스 다윈 ③ 히포크라테스
④ 패러데이 ⑤ 리처드 도킨즈

02 《종의 기원》에서 다루는 주제는 무엇일까요?

① 생물의 진화 ② 기계의 발명 ③ 과학의 진보
④ 인간의 심리 ⑤ 나비의 변태

03 다음 중 《종의 기원》에 나오는 내용이 아닌 것을 고르세요.

① 기르는 동식물에서 생기는 변이 ② 동식물의 생존 경쟁
③ 자연 선택 이론의 문제점 ④ 동물의 본능
⑤ 씨 없는 수박을 만드는 기술적인 방법

04 《종의 기원》을 쓴 다윈에 대한 설명이 아닌 것을 고르세요.

① 다윈은 영국 사람이다.
② 다윈은 초등학교에 다닐 때 아주 성실한 모범생이었다.
③ 다윈은 돌, 곤충, 조개 등을 채집하는 데 열정적이었다.
④ 다윈은 비글호를 타고 세계 일주 항해를 했다.
⑤ 다윈은 따개비 연구에 무려 8년이라는 긴 시간을 투자했다.

05 다윈은 동물이 사는 환경에 따라 많이 달라지는 것을 연구했는데, 주로 어떤 동물을 연구했을까요?

① 오리 ② 앵무새 ③ 낙타 ④ 상어 ⑤ 고래

06 《종의 기원》에서 다윈은 지구에 사는 수많은 생물들이 환경에 잘 적응해서 살아가는 것은 무엇의 결과라고 했나요?

① 창조주의 뜻에 따른 결과이다.

② 생존 경쟁에서 승리한 결과이다.

③ 지구에는 먹을 것이 다양하고 풍부하기 때문이다.

④ 생물들의 수명이 생각보다 길기 때문이다.

⑤ 사람들이 잘 돌보아 주기 때문이다.

07 다음은 어떤 용어를 설명한 것일까요?

- 같은 고양이라도 겉모습에 차이점이 있다.
- 생물이 살아가는 자연 환경의 차이에 의해 생긴다.
- 사람들이 인공적으로 만들 수도 있다.

____

08 맬서스의 《인구론》 : 맬서스는 《인구론》에서 인구는 계속 늘어나려는 경향이 있지만, 이를 억제하는 어떤 힘이 있다고 주장했습니다. 이러한 내용에서 다윈은 생존 투쟁의 상황에서 유리한 변이는 제대로 보존될 것이고, 불리한 변이는 사라질 것이라는 생각을 했는데, 이를 자연 선택설이라고 했습니다.

09 잃어버린 고리 : 대표적인 잃어버린 고리로 발견된 화석은 시조새입니다. 시조새는 파충류와 조류의 중간 형태에 해당하는 생물입니다.

10 진화는 충분한 시간, 즉 우리가 상상하기 어려운 긴 시간이 지나야 종의 형태를 변화시킬 수 있기 때문입니다.

08 다윈은 《종의 기원》에서 자연 선택설을 주장하는데, 다윈이 자연 선택설의 아이디어를 얻는 데 도움을 준 책과 그 저자의 이름은 무엇일까요?

09 다윈이 말한 종과 종 사이에 있는 과도기 형태에 해당하는 생물을 무엇이라고 하나요?

10 진화가 일어나는 현장을 우리 눈으로 볼 수 없는 까닭은 무엇일까요?

이 많은 자손 중
어떤 자손이
살아남을 것인지는
자연이 선택한다고!

정답

01 ② / 02 ① : 《종의 기원》은 지구에 살고 있는 생물이 어떻게 생겨났고, 어떻게 진화했는지를 밝히는 책입니다.

03 ⑤ / 04 ② : 다윈은 학교에서 공부를 하는 것보다는 식물이나 돌 등을 수집하는 데 흥미가 많았고, 틈만 나면 낚시를 했으며 혼자 산책하는 것을 좋아했습니다.

05 ① : 다윈은 집오리와 야생오리를 비교하여 집오리의 날개 뼈는 가볍고 다리뼈는 무겁다는 것을 알아냈습니다.

06 ②

07 변이 : 같은 소라도 한우와 미국 젖소는 모양이나 크기에서 차이가 납니다. 이처럼 같은 종의 동물이나 식물 사이의 차이를 변이라고 하는데, 다윈은 이런 변이가 쌓여 새로운 종의 생물이 만들어진다고 생각했습니다.